QUARTET

INTERMEDIATE JAPANESE ACROSS
THE FOUR LANGUAGES SKILLS

WORKBOOK

SUPERVISOR | TADASHI SAKAMOTO
AUTHORS | AKEMI YASUI / YURIKO IDE / MIYUKI DOI / HIDEKI HAMADA

4技能でひろがる

中級 日本語

カルテット♪

II

ワークブック

監修 | 坂本正
著 | 安井朱美／井手友里子
土居美有紀／浜田英紀

the japan times
PUBLISHING

4 技能でひろがる　中級日本語 カルテット II［ワークブック］
Quartet: Intermediate Japanese Across the Four Language Skills II ［Workbook］

2020 年 12 月 20 日　初版発行
2023 年 2 月 20 日　第 3 刷発行

監修者：坂本 正
著　者：安井朱美・井手友里子・土居美有紀・浜田英紀
発行者：伊藤秀樹
発行所：株式会社 ジャパンタイムズ出版
　　　　〒 102-0082 東京都千代田区一番町 2-2
　　　　一番町第二 TG ビル 2F

ISBN978-4-7890-1746-6

First edition: December 2020
3rd printing: February 2023

English translations: EXIM International, Inc.
Illustrations: Atsushi Shimazu (Pesco Paint)
Layout, typesetting and cover art: Hirohisa Shimizu (Pesco Paint)
Printing: Chuo Seihan Printing Co., Ltd.

Published by The Japan Times Publishing, Ltd.
2F Ichibancho Daini TG Bldg., 2-2 Ichibancho, Chiyoda-ku, Tokyo 102-0082, Japan
Website: https://jtpublishing.co.jp/

ISBN978-4-7890-1746-6

Printed in Japan

もくじ Contents

ブラッシュアップ

ワークブックの使い方

　　このワークブックは、『**中級日本語カルテットⅡ**』(第7課～第12課) の補助教材です。課ごとの「**読み物**」の内容確認と「**文型・表現ノート**」の練習問題、そして、ブラッシュアップセクションの「**上級へのチャレンジ**」「**漢字チャレンジ**」の練習問題が収録されています。

(1) 第7課～第12課

■ 読み物ワーク

「読み物1」「読み物2」それぞれに A B C の問題があります。

  A **○×チェック**：本文全体の大意が把握できているかを正誤問題で確認します。

  B **読みのストラテジー 練習**：その課の「読みのストラテジー」の練習です。まずテキストの説明を読んでから、ストラテジーを使って練習問題を解いてください。

  C **内容質問**：本文を精読するための問題です。文構造を問う質問、文どうしのつながりや主旨を問う質問があります。

■ 文型・表現ワーク

  A **基本練習**：「文型・表現ノート」のうち、アウトプットまで求める項目（テキストで見出しに⭐が付いている項目）の基本問題です。与えられた文脈で文を作る練習を行い、使えるようになることを目指します。

  B **まとめの練習**：⭐の付いていない項目も含め、その課のすべての項目が網羅されています。適当な文型・表現を選んで入れる穴埋め問題、文作成問題、文型・表現を使った作文の3つのタイプの練習があります。⭐の付いていない項目には、文作成の練習はありません。

(2) ブラッシュアップ

■ 上級へのチャレンジ ワーク

　　「上級へのチャレンジ」の理解を確認する問題です。テキストで学んだ後にその確認として行ってください。

■ 漢字チャレンジ ワーク

　　「漢字チャレンジ」の練習問題です。テキストの説明をよく読んでから行ってください。

＊ワークブックの解答例をご希望の方は、「ジャパンタイムズ BOOK CLUB」よりお問い合わせください。
https://bookclub.japantimes.co.jp

Using This Workbook

This workbook is designed as a companion resource for *QUARTET: Intermediate Japanese Across the Four Skills II* (Lessons 7–12). It provides exercises for checking understanding of 読み物 and practicing the 文型・表現ノート material of each lesson, as well as exercises for 上級へのチャレンジ and 漢字チャレンジ in the Brush-ups section.

(1) Lessons 7–12

■ 読み物ワーク

A set of three exercises (A B C) is provided for each reading, 読み物 1 and 読み物 2.

A ○×チェック: These are true-or-false questions for checking your understanding of the reading as a whole.

B 読みのストラテジー 練習: These exercises are for practicing the lesson's 読みのストラテジー . You begin by going over the explanation in the textbook so that you can apply the reading strategy when reading the passage.

C 内容質問: These exercises challenge you to examine the reading in greater detail through questions on sentence structure, how sentences are connected, and the gist of each section.

■ 文型・表現ワーク

A 基本練習: These are basic exercises that require output (items marked with ★ in the textbook). You practice producing sentences for the given context in order to consolidate your ability to apply the material.

B まとめの練習: These cover all items in the lesson, including those not marked with ★, and come in three types: fill-in-the-blank (adding a suitable pattern or expression), sentence formation (not provided for items not marked with ★), and composition using the target patterns and expressions.

(2) ブラッシュアップ

■ 上級へのチャレンジ ワーク

These exercises check your comprehension of the textbook's 上級へのチャレンジ . After studying the material in the textbook, do these practices to make sure you understand it correctly.

■ 漢字チャレンジ ワーク

This is a set of exercises for 漢字チャレンジ. Be sure to thoroughly read the explanation in the textbook before doing this practice.

4技能でひろがる
中級日本語
カルテット II
［ワークブック］

QUARTET
INTERMEDIATE JAPANESE ACROSS
THE FOUR LANGUAGE SKILLS II
［WORKBOOK］

📖 読み物 1 　日本人学生の留学体験記　　　　　　　　　　[p. 4]

🅰 読み物 1 ▶ ○×チェック

本文の内容と合うものに○、合わないものに×をつけなさい。

① （　　　　） 筆者が留学した期間は九か月間だった。

② （　　　　） 筆者は、留学中、毎日日本へ帰りたいと思っていた。

③ （　　　　） 筆者は、中国では仲のいい友達と肩を組むのは普通のことだと気がついた。

④ （　　　　） 筆者は、英語では「どこかへ行こう」という言葉に「行こう」と返しても約
束したことにはならないことを発見した。

⑤ （　　　　） 筆者は、人々の考えや行動が似ていて安心できるのは日本のいい点なので、
世界に広めるべきだと思っている。

🅱 読みのストラテジー ▶ 練習

読みのストラテジー ⑪ (p.8) を使って答えなさい。

⑪ 省略された言葉 (Word omission in sentences)

（1） 「毎日、何かしらの刺激、試練、変化、新たな発見を自分に与えてくれ」(行10−11) とありますが、何
が与えてくれたのですか。

_____ が与えてくれた。

（2） 「『お金ないし、他にやりたいことあるから行かない』と言われました」(行35−36) とありますが、だ
れに言われたのですか。

_____ に言われた。

C 読み物 1 ▶ 内容質問

1. 「まったくわからなかったため、他の留学生との差にとても落ち込みました」(行6−7) とありますが、何がわからなくて、落ち込んだのですか。

2. 「文化の違い」(行22) とは、日本とどの国の違いですか。また、何がどのように違うのですか。

日本の文化と _____ の文化の違いです。日本の文化では、_____

_____ 。それに対して、_____ の文化では、

_____ 。

3. 第6段落 (行25−31) を読んで、「行こう」という言葉の持つ意味合いが日本語と英語でどう違うかを答えなさい。

「今度の冬休み、○○へ行こう」「よし、行こう」という状況で、日本語は

「 _____ 」という言葉を使う。そしてそれが実現できなかった場合、

_____ ということになる。それに対して、英語では、

" _____ "という言葉を使い、それが実現できなかった場合、

_____ ということになる。

4. 「その時点」(行34) とは、どんな時ですか。

5. 「知らぬ間に安心してしまっています」(行43) とありますが、①だれが安心しているのですか。②どうして安心しているのですか。③安心していることについて、筆者はどう思っていますか。

① _____ が安心しています。

② _____ からです。

③ _____ と思っています。

📖 読み物 2) 外国人留学生の思い [p. 7]

A 読み物 2 ▶ ○× チェック

本文の内容と合うものに○、合わないものに×をつけなさい。

① （　　　） 筆者は、社交イベントでは、在日外国人から「日本で友達を作るのは難しい」という言葉を聞いたことがない。

② （　　　） 日本で友達を作るのが難しいのは、外国人と日本人が出会う機会が少ないからだ。

③ （　　　） 外国人はイベントで日本人と積極的に交流するのは礼儀だと思っている。

④ （　　　） イベントで連絡先を交換しても、日本人はその後連絡を取ろうとしない。

⑤ （　　　） 筆者は国や自治体に外国文化に親しむ若者を育てる努力をしてほしいと考えている。

B 読みのストラテジー ▶ 練習

読みのストラテジー ⑪ (p. 8) を使って答えなさい。

⑪ 省略された言葉 （Word omission in sentences）

（1） 「いろんな趣味を共有したがる」(行 14－15) とありますが、だれが共有したがるのですか。

_____ が共有したがる。

（2） 「連絡先を聞かれても素早く応える」(行 28) とありますが、だれが、だれに聞かれたのですか。

_____ が _____ に聞かれた。

（3） 「二日、三日、一週間たっても来ない」(行 34－35) とありますが、何が来ないのですか。

_____ が来ない。

C 読み物 2 ▶ 内容質問

1. 「彼ら」(行6) とはだれのことですか。

2. 「在日外国人の孤独感を感じさせる」(行7) とありますが、何が外国人の孤独感を感じさせるのですか。

3. 「相談にのる」(行10) とありますが、だれが相談しますか。だれがアドバイスしますか。

相談する人　　　　：_____

アドバイスする人：_____

4. 「彼らの積極性と現実のギャップ」(行20−21) について、下の質問に答えなさい。

① 「彼らの積極性」とは、だれの何に対する積極性ですか。

② それに対して「現実」はどうですか。

5. 「日本人は建前的にはポジティブな反応をする」(行25−26) について、下の質問に答えなさい。

① どのような反応をするのですか。

② 筆者によると、日本人は実際どう思っていますか。

6. 「人々のマインドを徐々に変化させ」(行41) とありますが、①「人々のマインド」とはだれのマインドですか。②筆者はどんなマインドに変化してほしいと考えていますか。

① _____ のマインドです。

② _____ に変化してほしいと考えています。

文型・表現ワーク

A 基本練習

⭐ **1.** **〜つつある** [p. 9]

「〜つつある」を使って、文や会話を完成させなさい。

(1) 少子化で日本の人口は _____ つつある。

(2) 料理中に指を切ってしまったのは 1 週間も前だが、最近やっと

_____ つつある。

(3) A： 最近パンが高くなったよね。これ、前は 1 個 100 円だったのに今は 150 円も
するよ。

B： 本当だ。この頃、物価が _____ つつあるような気がする。

(4) A： 夕方は涼しくなってきましたね。

B： ええ、夏が _____ つつありますね。秋になって紅葉が見られるの
が楽しみです。

(5) A： 南山市に新しい観光スポットができましたね。

B： ええ。多くの人に人気があるみたいですね。反対に北山市は観光客が

_____ つつあるようですよ。

(6) A： 最近の若い人は、本を _____ つつあるようですね。

B： そうなんですか？ 紙の本ではなく、スマホなどで読んでいるのではありません
か？

(7) A： 今、世界でどんなことが変わりつつあると思いますか。

B： _____。

　　　　　　名前 _____

⭐
4. 〜こそ [p. 11]

「〜こそ」を使って、文や会話を完成させなさい。

(1) 去年はできなかったから、_____ こそ _____ たいと思っている。

(2) 先日、就職セミナーに参加して、_____ こそ私がしたかった仕事だと思った。

(3) A: わざわざおみやげを買ってきてくださって、ありがとうございました。

　　B: いえいえ、_____ こそ。いつもお世話になっていますから。

(4) A: ホストファミリーが全然英語が話せないから困っ(こま)ているんだ。

　　B: でも、_____ からこそ _____ んじゃない?

(5) A: _____ の授業って、_____ よね?

　　B: でも、_____ からこそ、勉強になるんだと思うよ。

(6) _____ と言われているが、

　　_____ からこそ _____ のではないかと思う。

⭐
5. むしろ [p. 12]

「むしろ」を使って、文や会話を完成させなさい。

(1) A: この青いシャツ、私に似合(にあ)うと思う?

　　B: 悪くないと思うけど、青より _____ と思うよ。

(2) A: 日本を旅行するんだけど、車と電車とどっちがいいかな?

　　B: 田舎(いなか)を旅行するなら車がいいけど、東京(とうきょう)や大阪(おおさか)のような都市を旅行するなら、

　　_____ と思うよ。

(3) 休みの日は外に遊びに行くよりも、_____ ほうが好きだ。

(4) A： どの映画が見たい？ このアクション映画、おもしろそうだよ。

B： そうだね。でも、_____ より、むしろ

_____ が見たい気分かなあ。

(5) 私の国では _____ が人気があるが、

私はむしろ _____ ほうが _____ と思う。

(6) 漢字を覚えるために _____ 人が多いが、

私はむしろ _____ と思う。

✪6. 〜にもかかわらず　[p. 13]

「〜にもかかわらず」を使って、文や会話を完成させなさい。

(1) A： お忙しいにもかかわらず、_____ てありがとうございました。

B： いえいえ、どういたしまして。

(2) A： この店、いつも込んでますよね。

B： ええ。_____ にもかかわらず、人気がありますね。

(3) 約束していたにもかかわらず、_____ のは失礼だ。

(4) _____ さんは、_____ にもかかわらず、
あまりうれしそうに見えない。

(5) _____ が苦手なのにもかかわらず、

_____ 。

7. 〜ばかり　[p.13]

「〜ばかり」を使って、文や会話を完成させなさい。

1 | V る | ばかり

(1) A: 若者がどんどんこの町から出ていきますね。

　　B: そうですね。＿＿＿＿＿＿＿＿＿＿＿ ばかりですね。

(2) A: 仕事が全然終わらないよ！

　　B: ホント。＿＿＿＿＿＿＿＿＿＿＿ ばかりだよね。

(3) 景気が悪くなり、＿＿＿＿＿＿＿＿＿＿＿＿ ばかりだ。
　　けい き

(4) 私の国では、＿＿＿＿＿ の問題が ＿＿＿＿＿＿＿ ばかりだ。

2 | V て | ばかり／ N ばかり

(1) A: カップラーメン大好き！ お昼も食べたけど、夜もカップラーメンにしようかな。

　　B: ＿＿＿＿＿ ばかり ＿＿＿＿＿ ほうがいいよ。

(2) A: このゲーム、おもしろくてやめられない！

　　B: ＿＿＿＿＿ ばかりいると、＿＿＿＿＿ よ。

(3) 大学生が ＿＿＿＿＿ ばかりいるのはよくない。

(4) 最近の子どもは ＿＿＿＿＿ ばかり ＿＿＿＿＿ が、

　　＿＿＿＿＿＿＿＿＿＿＿ べきだと思う。

✪ 9. ～ことに [p. 15]

A. ▭ の言葉を使って、文を完成させなさい。必要なら形を変えなさい。同じ言葉は一度しか使えません。

(1) _____ ことに、宿題を家に忘れてきてしまった。

(2) _____ ことに、弟が入りたがっていた大学に合格したそうだ。

(3) _____ ことに、優しかった先生より怒られた先生のことをよく思い出す。本当に不思議だ。
ふしぎ

(4) _____ ことに、小学生がオリンピックに出ることになった。本当に信じられない。

> おもしろい　　ありがたい　　　うれしい　　　おどろく　　困る
> こま

B. 文を完成させなさい。

(1) 大変なことに、_____ なければいけないことになってしまった。

(2) ありがたいことに、_____ てくれた。

(3) 悲しいことに、_____ 。

B まとめの練習

1. ＿＿＿＿ の言葉を使って、文を完成させなさい。必要なら形を変えなさい。同じ言葉は一度しか使えません。

(1) 国際社会 ＿＿＿＿＿＿＿＿＿＿ 問題についてレポートを書いた。

(2) 仲がよかった友達がドイツに留学してしまった。会いた ＿＿＿＿＿＿＿＿＿＿ 。

(3) 初めて京都に行った時、この景色は ＿＿＿＿＿＿＿＿ 日本のイメージだと思った。

(4) ご来店の ＿＿＿＿＿＿＿＿＿＿ は、2日前までにウェブでご予約ください。

(5) 窓を開ける ＿＿＿＿＿＿＿＿＿＿ 、鳥が家の中に入ってきた。

> ～際に　　　～と同時に　　　　　～における
> まさに　　　～てしょうがない

2. 文や会話を完成させなさい。

(1) もう2年もフランス語を勉強していないので、＿＿＿＿＿＿＿ つつあります。

(2) 雪がなくなり、少しずつ暖かく ＿＿＿＿＿＿＿＿＿＿ つつある。

(3) 技術の発展によって、＿＿＿＿＿＿＿＿＿＿＿＿＿＿＿＿＿ つつある。

(4) 今まで何度も失敗したので、＿＿＿＿＿＿＿＿＿＿ こそ

＿＿＿＿＿＿＿＿＿＿＿＿＿＿＿＿＿ たい。

(5) A： 夏休みなのに勉強してるの？

B： ＿＿＿＿＿＿＿＿＿＿ からこそ、自分が本当に勉強したいことを勉強してるんだよ。

(6) 日本人は、外国人にとってカタカナは簡単だと思っているが、

多くの外国人はむしろ ＿＿＿＿＿＿＿＿＿＿＿＿＿＿＿＿＿＿＿ 。

(7) A：明日はテストだから、寝ないで勉強しようかな。

B：そんなことするより、むしろ _____ ほうがいいよ。

(8) A：社長が変わって、働きやすくなりましたか。

B：う〜ん、むしろ _____ んじゃないかと思います。

(9) 山田　　　：テイラーさんは日本語がお上手ですね。
　　やまだ

テイラー：いいえ、まだまだです。3年勉強しているにもかかわらず、

_____ んですよ。

(10) A：急なお願いにもかかわらず、_____ 。

B：いえいえ。私にできることがあればいつでも言ってください。

(11) A：最近、疲れていて、授業中もいつも眠くて……。
　　　　　　　　　　　　　　　　　　　　　　ねむ

B：夜、_____ ばかり _____ からじゃない？

(12) _____ てばかり _____ たら、有意義な学生生活
　　　　　　　　　　　　　　　　　　　　　　　　　　　　ゆう い ぎ
は送れないだろう。

(13) 環境問題よりも経済を優先する国が多いので、地球の環境は _____
　　　　　　　　　　　　　　　　　　　　ち きゅう
ていくばかりだ。

(14) 先月は税金が上がり、今月は給料が下がった。
　　　　ぜいきん　　　　　　　きゅうりょう

_____ ていくばかりだ。

(15) 店長：_____ ことに、今月もたくさんのお客さんが

　　　　来てくれました。来月もがんばりましょう！

店員：はい。がんばります！

(16) _____ ことに、_____ てしまった。

3. ┊＿＿＿＿＿┊の言葉を 3 つ以上使って、「文化の壁」について書きなさい。使った言葉に下線を引きなさい。
_{かせん　ひ}

┌─────────────────────────────────┐
　　　〜つつある　　　　　　〜こそ　　　　むしろ
　　　〜にもかかわらず　　〜ばかり　　　〜ことに
└─────────────────────────────────┘

例　　私の寮は最近留学生が増え、非常に多国籍な環境になり<u>つつある</u>。いろいろな国の人と一緒に生活をしていると、人と人の距離や時間の感覚など文化の違いを感じ_{きょり}ることがある。このような違いを「文化の壁」と言って大変なことだと考える人がいるが、私は<u>むしろ</u>文化の違いがあるから<u>こそ</u>、多国籍な寮生活が楽しくなるのではないかと思う。違いを「壁」として考えてしまうと、異なる文化の人との関係が遠くなる<u>ばかり</u>だ。せっかく多様な文化に接する機会があるのだから、文化の違いを楽しんだほうが、視野が広がり、人間としても成長できるような気がする。

_____

_____

_____

_____

_____

_____

_____

📖 読み物1 ）「日本一の旅館」加賀屋の女将に聞く
かがや　　おかみ

[p. 37]

A 読み物1 ▶ 〇×チェック

本文の内容と合うものに〇、合わないものに×をつけなさい。

① （　　　　） 加賀屋は、長年プロによって総合一位に選ばれ続けている。
かがや

② （　　　　） 加賀屋ではスタッフが客の部屋に食事を持っていく。

③ （　　　　） 本当の「おもてなし」とは、どんな客にもいつも同じサービスをすることだ。

④ （　　　　） スタッフは簡単な挨拶を英語と中国語で書いたものを持ち歩いている。
あいさつ

⑤ （　　　　） 今、加賀屋では客が到着してから帰るまでに10回以上お茶を出している。

B 読みのストラテジー ▶ 練習

読みのストラテジー ⑫ (p. 40) を使って答えなさい。

⑫ インタビューの質問に対する答え (Responses to interview questions)

質問に対する答えをまとめた表を完成させなさい。

	質問	女将の回答 おかみ
1	旅館はどんな ところか	・旅館は _____ を代表する文化。 ・旅館は _____ の場。
2	おもてなしの 精神	・おもてなしとは、お客様の _____ を理解したサービス。
	加賀屋の かがや おもてなし	・「_____」「_____」を言わない。
3	外国人客への おもてなし	・_____ や _____ などを調べる。 ・調べたことを、_____ としてどう提供するかが大切。
4	言葉の問題	・英語と中国語以外は _____ で伝える。
5	変えたいもの 残したいもの	・お客様に喜んでもらえることをするというのは変え _____。 ・_____ に合わせて、変えるべきところは変えたい。

C 読み物 1 ▶ 内容質問

1. 「お持ちできる」(行11) とありますが、だれがどこに何を持っていくのですか。

　　【 お客様 ・ 旅館のスタッフ 】が ＿＿＿＿＿＿＿＿＿＿＿＿ に ＿＿＿＿＿＿＿＿＿＿＿＿

　　を持っていきます。

2. 「十人十色」(行23) とありますが、①どんな意味ですか。調べて書きなさい。②「昔は『十人十色』でした
が、今は一人十色どころか百色とか言われる時代」(行23 − 24) とあります。つまり、昔と今の違いは何で
すか。＿＿＿＿＿ に適当な言葉を入れなさい。

　　① 「十人十色」とは、「 ＿＿＿＿＿＿＿＿＿＿＿＿＿＿＿＿＿＿＿＿＿＿＿＿ 」
　　　　という意味です。

　　② 昔は「十人十色」で、＿＿＿＿＿＿＿＿＿＿＿＿＿＿＿＿＿＿＿＿＿＿＿＿＿＿

　　　　だけでしたが、今は「一人十色」になり、＿＿＿＿＿＿＿＿＿＿＿＿＿＿＿＿＿＿

　　　　＿＿＿＿＿＿＿＿＿＿＿＿＿＿＿＿＿＿＿＿＿＿＿＿＿＿＿ということです。

3. 「真の意味でのお客様へのおもてなし」(行31) のためには、だれの、どのような気持ちが必要ですか。

4. 「大感激していただきました」(行45) とありますが、だれが、何に大感激したのですか。

5. 「変えるべきところは時代とともに変えていきたい」(行59 − 60) とありますが、①女将は、例として、ど
のようなサービスのことを話していますか。また、②昔のサービスからどのような変化がありましたか。
＿＿＿＿＿ に適当な言葉を入れなさい。

　　① ＿＿＿＿＿＿＿＿＿＿＿ のサービスのことを話しています。

　　② 昔は ＿＿＿＿＿＿＿＿＿＿＿＿＿＿＿＿＿＿＿＿＿＿＿＿＿＿＿＿＿＿＿ 。

　　　　しかし、今は ＿＿＿＿＿＿＿＿＿＿＿＿＿＿＿＿＿＿ ので、＿＿＿＿＿＿＿＿＿＿ 。
　　　　を出すために部屋に出入りする回数を【 増やし ・ 減らし 】ました。

📖 読み物 2 **Bento で日本をもっと近く** [p. 38]

A 読み物 2 ▶ ○×チェック

本文の内容と合うものに○、合わないものに×をつけなさい。

① (　　　) 日本にいたベルトランさんは「何か自分でできるのではないか」と考えて、ブログを書き始めた。

② (　　　) フランスでは、昼休みに家に帰ってサンドイッチやパスタを食べる人が多い。

③ (　　　) 家からお昼ご飯を持っていきたい人は、どんな国にもいる。

④ (　　　) 弁当箱のメーカーの人は弁当箱を海外で売ることに初めから賛成してくれた。

⑤ (　　　) 曲げわっぱの中には、約 1 万円の商品もある。

B 読みのストラテジー ▶ 練習

読みのストラテジー ⓬ ⓭ (pp. 40 − 41) を使って答えなさい。

⓬ インタビューの質問に対する答え (Responses to interview questions)

インタビュアーはベルトランさんに、何について詳しく話してもらいたいと思っていますか。「〜について教えてもらえませんか」に言い換えなさい。

(1) 最初は、メーカーにけげんな顔をされたと聞きます。(行 27)

→ _____ について教えてもらえませんか。

(2) 日本の伝統的な商品にも、こだわっていますね。(行 40)

→ _____ について教えてもらえませんか。

⓭ 何を説明している例か (What does an example explain?)

「杉の香りがいい曲げわっぱ」(行 41) は何を説明している例ですか。
  すぎ

C 読み物 2 ▶ 内容質問

1. 「弁当箱を海外で売ることは日本人には『灯台もと暗し』」(行13) とありますが、① 「灯台もと暗し」の意味を書きなさい。② 「弁当箱を海外で売ることは日本人には『灯台もと暗し』」の意味を説明しなさい。

① _____ という意味です。

② _____

_____

2. フランスの家から持っていくお昼と、日本の Bento にはどのような違いがありますか。
□□□□ の中から適当な言葉を選び、下の説明を完成させなさい。

フランスのお昼は、① _____ のない容器に ② _____ を入れるだけ

ですが、日本の Bento は食べる相手を ③ _____ 、④ _____ の

バランスを考えて、⑤ _____ よく ⑥ _____ を詰めます。

> 思いやり　栄養　仕切り　彩り　1つのもの　いろいろなもの

3. ベルトランさんは、なぜ「フランスなら、絶対に売れる」(行24) と思ったのですか。

4. 「なぜ？」(行28) とありますが、① 「なぜ？」と言ったのはだれですか。② 「なぜ」の後にはどのような文が続くでしょうか。

① _____ 。　② 「なぜ _____ ？」

5. 「それら」(行32) は何を指しますか。2 つ書きなさい。

・ _____

・ _____

6. ベルトランさんは京都の店の商品をどのように選んで、並べていますか。

7. 「日本を世界に紹介するためのかけ橋になりたい」(行47) とありますが、どんな意味ですか。自分の言葉で説明しなさい。

文型・表現ワーク
ぶんけい

A 基本練習
きほん

⭐ **2. 〜ない限り** [p. 43]

「〜ない限り」を使って、文や会話を完成させなさい。

(1) A：そのスマホ、何年使ってるの？

　　B：5年くらい。でも、まだ使えるよ。_____ ない限り、
　　　新しいのは買わないつもり。

(2) 夫：ごめん。明日の母の誕生日パーティー、仕事で行けなくなっちゃったんだ。
おっと　　　たんじょうび
　　　悪いけど一人で行ってくれない？

　　妻：えっ、あなたの家族なんだから、あなたが一緒に行ってくれない限り、
つま

　　　_____ よ。

(3) 私の国では _____ ない限り、
　　お酒が買えない。

(4) 料理は、おいしそうに見えても、_____ ない限り、

　　_____ かどうかわからない。

(5) _____ は _____ ない限り、
　　できるようにならないだろう。

⭐ **4. 〜ないまでも** [p. 44]

A.【　　】の中から、一番いいものを選びなさい。

(1) 【半額・金額・高額】とは言わないまでも、せめてもう少し安ければ、買いたい。

(2) 【毎日・1年・1回】とは言わないまでも、少なくとも1週間に3回は図書館で勉
　　強している。

(3) 【海・お城 (castle)・トイレ】のようだとは言えないまでも、田中さんの家はとても広くてきれいだ。

(4) 【初級・中級・上級】みたいだとは言えないまでも、サラさんは日本語がとても上手だ。

B. 「～ないまでも」を使って、文を完成させなさい。

(1) ＿＿＿＿＿＿＿＿＿＿＿ とは言わないまでも、少なくとも毎日 1 時間は勉強しようと思う。

(2) ＿＿＿＿＿＿＿＿＿ は ＿＿＿＿＿＿＿＿＿ とは言えないまでも、悪くないと思う。

(3) 100 歳まで生きられないまでも、せめて ＿＿＿＿＿＿＿＿＿＿＿＿ 。

(4) ＿＿＿＿＿＿＿＿＿＿＿＿＿ ないまでも、毎日普通に今の生活を続けられたらいいなと思う。

★
5. ～とともに　[p. 44]

「～とともに」を使って、文を完成させなさい。

(1) ＿＿＿＿＿＿＿ は奈良とともに、日本の歴史的な町である。

(2) すしとともに ＿＿＿＿＿＿＿ は世界でよく食べられている日本食の一つだ。

(3) 日本では、昔、長男（一番年上の息子）は結婚した後も ＿＿＿＿＿＿＿＿＿ とともに暮らすのが一般的だった。

(4) 寒くなるとともに ＿＿＿＿＿＿＿＿＿＿＿＿＿＿＿＿＿ 。

(5) 子どもの数が減るとともに ＿＿＿＿＿＿＿＿＿＿＿＿＿＿＿ 。

(6) ＿＿＿＿＿＿＿＿＿＿＿＿＿ とともに、大学生活が楽しくなった。

(7) ＿＿＿＿＿＿＿ とともに ＿＿＿＿＿＿＿＿＿＿＿＿＿＿＿ 。

⭐ 6. ～たものだ [p.45]

「～たものだ」を使って、次のトピックについて文を作りなさい。

(1) 子どもの時よくしたこと

_____ 。

(2) 小学生の時によく思った (考えた) こと

_____ 。

(3) 日本語の勉強を始めたばかりの頃、授業でよくさせられたこと

_____ 。

(4) 昔よくして怒られたこと

_____ 。

⭐ 8. ～うちに [p.46]

「～うちに」を使って、文や会話を完成させなさい。

(1) A： どうしてそんなに日本の歴史についてよく知っているんですか。

　　 B： _____ ているうちに、詳しくなりました。

(2) 悲しいことがあったが、友達 _____ ているうちに、
元気になってきた。

(3) A： 最近、よく料理してるみたいだけど、そんなに料理するのが好きだったっけ？

　　 B： あまり好きじゃなかったけど、_____ ているうちに、
好きになったんだ。

(4) A： 日本語が本当に上手ですね。どうやって勉強したんですか。

　　 B： _____ ているうちに、話せるようになりました。

(5) _____ ているうちに、_____ がわかってきた。

B まとめの練習

1. ____ の言葉を使って、文や会話を完成させなさい。必要なら形を変えなさい。同じ言葉は一度しか使えません。

(1) ダイエットのためにジョギングを始めたら、以前よりたくさん食べるようになって、

_____ 太ってしまった。

(2) 父はコーヒーの味 _____ いて、インターネットで海外のコーヒー豆を買っている。
まめ

(3) A：青山さんって、マンガ好きだよね？ 100 冊以上持ってるんじゃない？
あおやま　　　　　　　　　　　　　　　　　　　さつ

B：100 冊 _____ 、300 冊くらい持っているよ。

(4) 彼に「がんばれ」と言いすぎないほうがいい。彼 _____ がんばっているんだから。

(5) A：日本 _____ のスポーツって何だと思う？

B：やっぱり、剣道だと思うよ。
けんどう

> ～どころか　　ならでは　　かえって　　～なりに　　～にこだわる　　～とともに

2. 「かえって」か「むしろ」か、どちらかいいほうを選びなさい。

(1) A：やっぱりみんなで外食するのはいいね。
がいしょく

B：そうだね。でも、私は【 かえって・むしろ 】家で持ち寄りパーティー (potluck party) をするほうが好きだなあ。
も　よ

(2) ホストファミリーの子どもに喜んでもらおうとピエロ (clown) の化粧をしたら、
けしょう
【 かえって・むしろ 】怖がられてしまった。
こわ

(3) 失敗してはいけないと思っていたら、緊張して【 かえって・むしろ 】もっと大きな
きんちょう
失敗をしてしまった。

(4) 宮﨑駿は、映画監督というより【 かえって・むしろ 】芸術家だ。
みやざきはやお　　　　かんとく

3. 文や会話を完成させなさい。

(1) _____ ない限り、自由にお金を使えるようにはならない。

(2) A： どうしたの？ 顔色がよくないよ。今日は帰ったほうがいいんじゃない？

B： 帰りたいんだけど、_____ ない限り、帰れないんだ。

(3) _____ ない限り、_____ ことはできない。

(4) A： _____ ないまでも、せめて 1 年に 1 回は旅行に行きたいね。

B： そうだね。行けるといいね。

(5) A： 大学生のうちにしておきたいことってある？

B： _____ ことはできないまでも、せめて _____
たいなあ。

(6) _____ は、_____ ために絶対に必要だとは

言えないまでも、_____ と思う。

(7) 私の国では、_____ の時期には _____
とともに過ごすのが一般的だ。

(8) _____ とともに、
社会は便利になってきた。

(9) 初めは _____ たが

時が経つとともに、_____ た。
た

(10) 中学生の頃は、_____ ものだ。

(11) _____ うちに _____ に興味を持つようになった。

(12) ルームメート A： お帰り。遅かったね。どうしたの？

ルームメート B： _____ うちに、
いつの間にか時間が経っていて遅くなっちゃったんだ。
た

4. [　　　　　] の言葉を 3 つ以上使って、「どうすれば人は自分の夢をかなえることができると思うか」について書きなさい。使った言葉に下線を引きなさい。

> ～ているうちに　　～ない限り　　～ないまでも　　～とともに

例　　自分の夢をかなえるためには、あきらめず努力を続けることが大切だと思う。努力さえすれば必ず夢がかなえられるとは言わないまでも、努力を続けているうちに夢の実現に近づいていくはずだ。

　　私の夢は日本語の小説を英訳する翻訳家になることだ。今はその夢の実現のために、日本語を勉強している。勉強は大変だが、日本語が上達するとともに、夢に少しずつ近づいている感じがしてうれしい。今はまだ夢から遠いが、あきらめない限り、いつか翻訳家になれると信じてがんばるつもりだ。

_____

_____

_____

_____

_____

_____

_____

📖 **読み物1**   夜中の汽笛について、あるいは物語の効用について [p. 69]
　　　　　　　　きてき

🅰 読み物1▶○×チェック

本文の内容と合うものに○、合わないものに×をつけなさい。

① （　　　　）　少女が少年にどれくらい自分のことを好きか聞くと、少年は間を置かずにす
　　　　　　　　　ぐに答えた。

② （　　　　）　少年は汽笛を聞くために、夜中の2時か3時に起きるようにしている。
　　　　　　　　　　　きてき

③ （　　　　）　夜中に一人で目を覚ますことは少年にとって、とても辛いことだ。

④ （　　　　）　少年は夜中に汽笛を聞くと、とても悲しい気持ちになる。

⑤ （　　　　）　少年が話し終わるまで、少女は自分の思いを話さなかった。

🅱 読みのストラテジー▶練習

読みのストラテジー ⓮ (p. 72) を使って答えなさい。

⓮ 「たとえ」を使った表現 (Expressions used in analogies)

たとえの表現「鉄の箱」に見られる少年の気持ちの変化をまとめなさい。

行 7-25	物語の状況：_____ に _____ で目を覚ました時
　　　　　じょうきょう

> 気持ち：|鉄の箱|に詰められて、_____ ような気持ち

↓

行 27-35	それは、人間が生きている中で経験するいちばん _____ ことのひとつ

> 気持ち：|(鉄の)箱|の中の空気が薄くなって実際に _____ はずだ

↓

行 37-48	でも、その時ずっと遠くで _____ の音が聞こえる

> 気持ち：|鉄の箱|は海面へ向けてゆっくり _____

C 読み物 1 ▶ 内容質問

1. 「そこにはきっと何かお話があるに違いない」(行 5 − 6) とありますが、「そこ」は何を指_さしますか。

2. 「それは、たとえなんかじゃない」(行 32 − 33) とありますが、「それ」は何を指_さしますか。

3. 何がきっかけで「僕の心臓は痛むことをやめる」(行 43 − 44) のですか。

   _____ がきっかけです。

4. 汽笛_{きてき}を聞く前と聞いた後では、少年の気持ちにどのような変化がありましたか。どうしてその変化が
   あったと思いますか。あなたの考えを書きなさい。

5. 少年が物語で少女に伝えたかったことは何だと思いますか。あなたの考えを書きなさい。

📖 読み物 2　愛と恐怖　　　　　　　　　　　　　　　　　　　　　　[p. 71]

A 読み物 2 ▶ ○×チェック

本文の内容と合うものに○、合わないものに×をつけなさい。

① （　　　）　筆者は子猫が家に来る前から、ちゃんと猫の世話ができるか心配していた。

② （　　　）　筆者の家に来た子猫は怖がりな性格だ。

③ （　　　）　最近、子猫は筆者が出かける時に見送りをしてくれるようになった。

④ （　　　）　筆者は子猫が家に来てから、起こり得ない怖い事態を想像するようになった。

⑤ （　　　）　筆者は子猫について心配することもあるし、楽天的な想像をすることもある。

B 読みのストラテジー ▶ 練習

読みのストラテジー ⓯ (p. 73) を使って答えなさい。

⓯ タイトルから読みとれるメッセージ (Interpreting the writer's message from the title)

「愛と恐怖」について筆者はどう考えていますか。　|　　　　|　から適当な言葉を選んで書きなさい。

（1）　「愛」と「恐怖」の関係について、筆者はどんなことに気づきましたか。

　　（①　　　　　　　　　）するものが増えることは（②　　　　　　　　　）が増えることだと
気づきました。

（2）　何がきっかけで筆者はそのことに気づきましたか。

　　（③　　　　　　　　　）を飼い始めたのがきっかけで、気づきました。

（3）　それはどうしてですか。

　　③を心配して、「～たらどうしよう」とあり得ないことを（④　　　　　　　　）して、
②を感じるようになったからです。

（4）　「世のおかあさんがたの話」(行 38 − 44) で言いたいことは何ですか。

　　筆者は③を①しているので、心配して②を感じます。それと同じように
　　（⑤　　　　　　　　　）も①する（⑥　　　　　　　　　）を心配して②を感じているだろう
ということです。

　　　　　　猫　・　母親　・　子ども　・　愛　・　恐怖　・　想像

C 読み物 2 ▶ 内容質問

1. 「おおざっぱ。物怖じしない」(行 10－11) とありますが、誰が「おおざっぱ」で、「物怖じしない」のです
か。

　　【 インコ・子猫・筆者 】がおおざっぱで、物怖じしないのです。

2. 「びっくりした」(行 12) とありますが、誰が、どうして「びっくりした」のですか。

　　＿＿＿＿＿＿＿＿＿ がびっくりした。猫がやってくるまで筆者は毎日 ＿＿＿＿＿＿＿＿＿＿＿＿＿

　　のに、猫は筆者の家に来てすぐに ＿＿＿＿＿＿＿＿＿＿＿＿＿＿＿＿＿＿＿＿＿＿＿ たり、

　　＿＿＿＿＿＿＿＿＿＿＿＿＿＿＿＿＿＿＿＿＿＿＿＿＿ たりして、さりげなく

　　＿＿＿＿＿＿＿＿＿＿＿ に入りこんでしまったから。

3. 「この順応性の高さ」(行 23) は、猫のどのような様子のことを説明していますか。
　　下の説明を完成させなさい。

　　家に来たばかりの時は、【 筆者・猫 】が家を出ようとすると、【 筆者・猫 】は

　　＿＿＿＿＿＿＿＿＿＿＿＿＿＿＿＿＿＿＿＿＿＿＿＿＿ が、4、5 日経ったら、

　　＿＿＿＿＿＿＿＿＿＿＿＿＿＿＿＿＿＿＿＿＿＿＿＿＿ こと。

4. 「奇跡みたいに思える」(行 43) とありますが、誰が、何をすることが、世のおかあさんがたにとっては奇跡
みたいなのですか。

　　＿＿＿＿＿＿＿＿＿＿ が ＿＿＿＿＿＿＿＿＿＿＿＿＿＿＿＿＿＿＿＿＿ ことが
　　おかあさんにとっては奇跡みたいなことだ。

5. 最後の段落 (行 45－49) から筆者が言いたいことは何ですか。【　　　】からそれぞれ正しいほうを選び
なさい。

　　愛している猫について、筆者は「楽天的な想像」は【 思いつく・思いつきもしない 】
　　が、「恐怖方面の想像」は【 思いつく・思いつきもしない 】。「楽天的な想像」も「恐怖
　　方面の想像」もどちらも【 あり得る・あり得ない 】ことだが、【 楽天的な想像・恐怖方
　　面の想像 】ばかりする。つまり、愛は【 喜びや楽観・恐怖や悲観 】との関係が深いもの
　　だと思う。

文型・表現ワーク

A 基本練習

⭐ **2. ～に違いない** [p. 75]

A.「～に違いない」を使って、文を完成させなさい。

(1) ジョージと絵理はいつも一緒にいる。二人は _____ に違いない。
　　　　えり

(2) 明日は近くのスタジアムでワールドカップの試合がある。

　　　_____ に違いない。

(3) ワンさんは最近疲れているようだ。バイトが _____ に違いない。

(4) ポケットに入れてあったかぎがない。きっと、どこかで _____
　　に違いない。

(5) _____ は人気があるそうだから、_____
　　に違いありません。

B.「に違いない」か「はずだ」か、どちらかいいほうを選びなさい。

(1) 今、4 時半だ。国際交流課のオフィスは 5 時までなので、開いている
　　【 に違いない・はずな 】のに、開いていなかった。

(2) 始めの部分を聞いただけで、この歌はヒットする【 に違いない・はずだ 】と思った。

(3) テストを返してもらったとき、ジョージはうれしそうだったから、テストの点がよ
　　かった【 に違いない・はずだ 】。

(4) 10% off のクーポンを使って 2000 円のものを買ったら、1800 円で買える
　　【 に違いない・はずな 】のに、店員に「1900 円です」と言われた。

⭐ **3. ～たとしても** [p. 75]

「～たとしても」を使って、文や会話を完成させなさい。

(1) A： 田中さん、まだ来ないね。電車に乗り遅れたのかな。
　　　たなか

　　B： _____ としても、2 時間も遅いのはおかしいよ。

(2)　A：明日は雨みたいだけど、登山はどうなるかな？

　　　B：少し _____ としても、行くみたいだよ。

(3)　ボブ：明日のミーティングで寮のルールを発表しようと思っているんだけど、
　　　　　　みんなに反対されたらどうしよう……。

　　　サラ：みんなが _____ としても、私はボブの味方だよ。

(4)　私は、お金持ちになったとしても _____ 。

(5)　_____ としても、彼は話を聞いてくれないだろう。

(6)　_____ としても、_____ 。

✪ 7. 〜ということは　[p. 78]

「〜ということは」を使って、文や会話を完成させなさい。

(1)　A：大学で勉強する意味は何だと思いますか。何のために勉強すると思いますか。

　　　B：大学で勉強するということは、_____
　　　　　ということだと思います。

(2)　【本を読む・映画を見る】ということは、_____
　　　ということではないだろうか。

(3)　就職するということは、_____

　　　_____ ということだ。

(4)　ペットを飼うということは、_____
　　　ということだろう。

✪ 8. 〜はずがない　[p. 79]

「〜はずがない」を使って、文や会話を完成させなさい。

(1)　いつも5分前に来る本田さんが、_____ はずがない。
　　　　　　　　　　　　　　　　ほん だ

(2)　この本は大人でも難しいんだから、子ども _____ はずがない。

(3) グエンさんは寝る時間もないくらい忙しいらしいから、_____
はずがない。

(4) A: 今、山田さんに電話しても大丈夫かな。

B: もう夜の 12 時だから、_____ はずがないよ。彼女はいつ
も 11 時には寝ているらしいから。

(5) 親: 大きくなったら、医者になってうちの病院で働いてね。

子: 数学 (math) が苦手だし、血 (blood) を見るのも嫌いなんだから、

医者に _____ はずがないでしょ。

(6) A: うちの犬、天才 (genius) かもしれない。_____
ことができるんだ。

B: 小説や映画じゃないんだから、犬が _____
はずがないでしょ。夢でも見たんじゃない?

★ 11. 〜もしない [p. 81]

「〜もしない」を使って、文や会話を完成させなさい。

(1) _____ もしないで、いい大学に入れるはずがない。

(2) ルームメートは _____ もしないで遊びに行ってしまった。

(3) 彼女は自分がいつも正しいと思っているので、人の話を _____ もしない。

(4) A: 田中くんにメッセージを送ったんだけど、彼、_____ もせずに消し
ちゃったらしいんだよ!

B: えー、あり得ない!

(5) A: 私は毎日、掃除も買い物も料理もしてあげているのに、ルームメートは

_____。

B: それはひどいね。

(6) A: あのニュース聞いた?

B: _____ なんて、想像もしなかったよね。

B まとめの練習

1. ☐ の言葉を使って、文を完成させなさい。必要なら形を変えなさい。同じ言葉は一度しか使えません。

(1) 北海道では、前が見えなくなる _____ 雪がたくさん降ります。

(2) 父にもらった大切な時計が見つからない。_____ どこにあるんだろう？

(3) 勉強しないで成績がよくなる _____ 。

(4) A：最近、何かおもしろい映画見た？

　　B：忙しくて、映画 _____ 見る時間ないよ。

(5) ジョージはよく絵理を映画に誘っている。絵理が好き _____ 。

(6) 〈美容院で〉
　　美容師：後ろ髪は、どのくらい切りますか。

　　客　　：肩につくか、（つく➜）_____ くらいの長さに切って
　　　　　　ください。

(7) 平和な町でも危ない事件が（起こる➜）_____ ので、気をつけ
　　たほうがいい。

> いったい　　　～くらい　　　～なんか　　　～ないか　　　～得る
> ～わけがない　　　～に違いない　　　～もしない

2. 文や会話を完成させなさい。

(1) 留学するということは、＿＿＿＿＿＿＿＿＿＿＿＿＿＿＿＿＿＿＿＿＿

　　　　ということだと思う。

(2) 目標を持っているということは、＿＿＿＿＿＿＿＿＿＿＿＿＿＿＿＿＿

　　　　ということだ。

(3) ＿＿＿＿＿＿＿＿＿＿＿＿＿＿＿＿＿＿＿＿ ということは、

　　　　＿＿＿＿＿＿＿＿＿＿＿＿＿＿＿＿＿＿＿＿＿＿＿＿＿＿。

(4) あの人は高級な車に乗っているし、いつも高そうな服を着ている。

　　　　＿＿＿＿＿＿＿＿＿＿＿＿＿＿＿＿＿ に違いない。

(5) 山本さんにメールをしても、返事がない。＿＿＿＿＿＿＿＿＿＿＿＿＿
　　　やまもと
　　　に違いない。

(6) ＿＿＿＿＿＿＿＿ は ＿＿＿＿＿＿＿＿＿＿＿＿ から、きっと

　　　　＿＿＿＿＿＿＿＿＿＿＿＿ に違いありません。

(7) A：トムに借りた消しゴムをなくしちゃった。トム、怒るかなあ……。

　　　　B：大丈夫。いつもやさしいトムがそんなことで ＿＿＿＿＿＿ はずがないよ。
　　　　　だいじょうぶ

(8) AI が ＿＿＿＿＿＿＿＿＿＿＿＿＿＿＿＿＿＿ はずがない。

(9) 生まれ変わったとしても、私は ＿＿＿＿＿＿＿＿＿＿＿＿＿＿＿。

(10) 私は ＿＿＿＿＿＿＿ が大好きだ。たとえ ＿＿＿＿＿＿＿＿＿＿ た

　　　　としても、＿＿＿＿＿＿＿＿＿＿＿＿＿ だろう。

(11) 手伝ってもらったのに、＿＿＿＿＿＿＿ もしないのは失礼だ。

(12) 大人になっても ＿＿＿＿＿＿＿ もしないのは、よくないだろう。

3. _____ の言葉を 3 つ以上使って、「あなたの愛するもの」か「あなたが思う愛」について書きなさい。
使った言葉に下線を引きなさい。

> ～に違いない　　　～たとしても　　　～ということは
> ～はずがない　　　～もしない

例　　　私が愛するものは、中学生の時からペットとして飼っているインコ (parakeet) の
「ピーちゃん」だ。ピーちゃんは、私が教えた言葉をすぐに覚える。短い文なら話す
こともできるし、歌も歌う。それに、私が家に帰ると、そのことがわかるようで、私
の名前を呼んでくれる。天才 (genius) に違いない！

　　　私はもうすぐ日本に 1 年間留学をするが、留学するということは、ピーちゃんと
しばらく会えなくなるということだ。たとえ長い間離れたとしても、ピーちゃんは
私が帰ったら、また私の名前を呼んでくれるだろう。

_____

_____

_____

_____

_____

_____

_____

📖 読み物1 結婚・子育て、夢描(えが)きにくく 〜朝日新聞社世論調査〜 [p. 100]

Ａ 読み物1 ▶ 〇×チェック

本文の内容と合うものに〇、合わないものに×をつけなさい。

① （　　　） 結婚するのが当然だと考える人は以前より少なくなっている。

② （　　　） 「結婚したら、子どもを持つほうがよい」という考えは、以前と比べて大きく変化している。

③ （　　　） 30代以下で、「子どもが幼いうちは、母親が家で面倒を見るほうがよい」と回答した人は5割を超えた。

④ （　　　） 子育てで一番問題となることを聞くと、「仕事と子育ての両立の難しさ」を挙げる人が最も多かった。

⑤ （　　　） 結婚したいと思っている人は約8割に達したが、自分がいずれは結婚すると思う人は6割程度(ていど)だった。

Ｂ 読みのストラテジー ▶ 練習

読みのストラテジー ⑯ (p. 108) を使って答えなさい。

⑯ データの説明 (Explanations of data)

次の (1)〜(3) が「(A) 調査結果」「(B) 結果からわかること」「(C) 筆者や専門家の考察(せんもんか　こうさつ)」のどれに当たるか答えなさい。

(1) 働きながら育児する女性の負担感を反映してか、(行20)

【 A ・ B ・ C 】

(2) 非正規雇用に代表される不安定な雇用や収入も、結婚への不安につながっているようだ。(行24−25)

【 A ・ B ・ C 】

(3) 子育ての環境について尋ねると、72%が「今の日本は子どもを生み育てにくい社会」と答えた。(行29−30)

【 A ・ B ・ C 】

C 読み物 1 ▶ 内容質問

1. 「夫婦の役割分担にも意識の変化が見られ」(行11) とありますが、どのような変化がありましたか。

2. 行 14-16 の段落に書かれている結果からわかることは何ですか。この段落の中から探して書きなさい。
(cf. 読みのストラテジー⓰-B)

3. 「非正規雇用」(行24) とはどのような雇用のことですか。「正規雇用」との違いは何ですか。①〜③に入る
言葉を [＿＿＿＿] から選んで書き、【　　】は適当なほうを選びなさい。

「非正規雇用」とは、（①　　　　　　　　　　　　　　　　）や（②　　　　　　　　　　　　　　　　）
など、雇用期間が限定【 されている ・ されていない 】雇用のこと。一方、「正規雇用」と
は（③　　　　　　　　　　）のように雇用期間が限定【 されている ・ されていない 】雇用
のことである。「非正規雇用」は「正規雇用」より労働時間が比較的【 長く ・ 短く 】、
収入が安定【 している ・ していない 】という傾向がある。

> 正社員　　　契約社員　　　パート・アルバイト
> けいやく

4. 「現実とのギャップが浮き彫りになった」(行35) とありますが、①何に対する理想と現実とのギャップが
浮き彫りになったのですか。②どのようなギャップがあるのですか。

①＿＿＿＿＿＿＿＿＿＿＿＿＿＿＿＿＿＿＿＿＿ に対する理想と現実とのギャップです。

②＿＿＿＿＿＿＿＿＿＿＿＿＿＿＿＿＿＿＿＿＿＿＿＿＿＿＿＿＿

5. 年収と交際相手がいるかどうかには、どのような関係がありますか。

6. 結婚相手の年収についてどのような条件を持っている女性が最も多かったですか。
じょうけん

7. 「非正規の男性には厳しい"条件"」(行51) とありますが、なぜ非正規の男性にとって厳しいのですか。
きび

📖 読み物 2 日本人が政府に期待するもの
～ ISSP 国際比較調査 「政府の役割」から～
[p. 104]

A 読み物２ ▶ ○×チェック

本文の内容と合うものに○、合わないものに×をつけなさい。

① （　　　　） 調査結果を見ると、「失業者対策は政府の責任だ」と答えた人が最も少なかったのは日本だ。

② （　　　　） 2006 年に、低所得家庭の大学生への援助は「政府の責任」と回答した日本人は、67%だった。

③ （　　　　） 日本では、「教育費は親が負担するものだ」という考え方が一般的だ。

④ （　　　　） 「政府が電子メールや情報を監視することが許される」と答えた人が５割以下の国が多かった。

⑤ （　　　　） 「政府が防犯カメラを使って人々を監視することが許される」と答えた人が５割以下の国が多かった。

B 読みのストラテジー ▶ 練習

読みのストラテジー ⑰ (p. 109) を使って答えなさい。

⑰ 調査結果のグラフ (Graphs of survey results)

図 1 「政府の責任だと思うか『失業者対策』」(p. 105) を見て答えなさい。

（1）　調査の質問を文にしなさい。

_____ ことは政府の責任だと考えますか。

（2）　日本の調査結果をまとめなさい。

◆『政府の責任』と考える人の割合		◆『政府の責任ではない』と考える人の割合	
① 政府の責任である		③ どちらかといえば	
	（　　　）%	政府の責任ではない	（　　　）%
② どちらかといえば		④ 政府の責任ではない	
政府の責任である	（　　　）%		（　　　）%
合計 （①＋②）	（　　　）%	**合計** （③＋④）	（　　　）%

C 読み物 2 ▶ 内容質問

1. 「それなりの生活水準を維持できる」(行 12) とありますが、どういう意味ですか。a～c から最も適当なものを選びなさい。

    a. 仕事を失う前の生活と同じレベルの生活ができる。

    b. その国の平均収入家庭の生活以上の生活ができる。

    c. 住む場所や服、食事の心配をせず、普通の生活ができる。

2. 失業者対策は政府の責任だと回答した人の割合が高いのは、どんな国ですか。

3. 「各国の中では相変わらず最も少なくなっている」(行 25 – 26) とは、いつの、どの国の、どんな人の割合について言っていますか。

いつ？：＿＿＿＿＿＿＿ 年

どの国？：＿＿＿＿＿＿＿

どんな人の割合？：＿＿＿＿＿＿＿＿＿＿＿＿＿＿＿＿＿＿＿＿ と回答した人の割合

4. 教育学者の小林雅之氏によると、日本で低所得家庭の大学生への援助が「政府の責任」と回答した人が
こばやしまさゆき
少ないのはなぜですか。

5. 「一方」から始まる段落 (行 39 – 46) で、筆者の考察 (意見・考え) が書かれているのはどこからどこまで
こうさつ
ですか。初めと最後の 7 文字を書きなさい。（cf. 読みのストラテジー⓰-C）

								～								

6. 日本では、①電子メールと防犯カメラと、どちらのほうが政府の監視が許容される傾向にありますか。
②筆者は、その傾向になった要因についてどのように推測していますか。
すいそく

①【 電子メール・防犯カメラ 】のほうが政府の監視が許容される傾向にある。

② ＿＿＿＿＿＿＿＿＿＿＿＿＿＿＿＿＿＿＿＿＿＿＿＿＿＿＿＿＿＿＿＿

    と推測しています。

文型・表現ワーク

A 基本練習

⭐ **2. 一方（で）** [p. 110]
いっぽう

「一方で」を使って、文を完成させなさい。
いっぽう

(1)　寮の生活は楽しい一方で、_____ という問題も
いっぽう
　　　ある。

(2)　_____ 一方で、将来やりたいことが
　　　見つからない人もいる。

(3)　_____ 一方で、
　　　家事や子育てのほうが好きな人もいる。

(4)　日本【 は ・ では ・ には 】_____ 。

　　　一方で、私の国【 は ・ では ・ には 】_____ 。

(5)　_____ は _____ が、

　　　一方で、_____ という問題もある。

(6)　田中さんは、平日は _____ 一方で、
たなか

　　　週末は _____ 。

⭐ **7. N ほど** [p. 113]

「N ほど」を使って、文や会話を完成させなさい。

(1)　A：最近忙しくてゆっくりする暇もないよ。
　　　　　　　　　　　　　　　　　ひま

　　　B：忙しい時ほど、_____ ほうがいいよ。

(2)　先生：調査では、よくゲームをする人にはどんな傾向があることがわかりましたか。

　　　学生：_____ 人ほど、_____
　　　という傾向があることがわかりました。

(3)　日本人の友達が多い人ほど、_____ 。

(4)　安い物ほど、_____ 。

(5)　_____ 人ほど、年を取っても元気だ。

⭐ 9. ～つつ　[p. 114]

「～つつ」を使って、文を完成させなさい。

(1)　昔のことを思い出しつつ、_____ 。

(2)　_____ のことを考えつつ、_____
　　　ようにしている。

(3)　_____ を視野に入れつつ、_____ 。

(4)　政治家は _____ を考えつつ、

　　　_____ べきだ。

(5)　_____ （私の国）には、_____ を願いつつ、

　　　_____ 習慣がある。

⭐ 10. ～たところ　[p. 115]

「～たところ」を使って、文を完成させなさい。

(1)　大学卒業後のことについて両親に相談したところ、_____

　　　_____ 言われた。

(2)　頭が痛かったので薬を飲んでみたところ、_____ 。
　　　　　　　　　　　（くすり）

(3)　久しぶりに友達に電話したところ、_____ ことがわかった。

(4)　_____ に _____

　　　か聞いたところ、_____ 。

(5) _____ たところ、

_____ 。

⭐ 11. 〜ものの [p. 116]

A. (1) 〜 (4) と a 〜 d を結んで、文を完成させなさい。

(1) 旅行のホテルは予約したものの・　　　・a. はっきり断られてしまったらしい。

(2) 新しい表現を勉強したものの・　　　・b. なかなか病気がよくならない。

(3) 毎日薬を飲んでいるものの・　　　・c. 仕事を休めるかわからない。

(4) トムは恋人にプロポーズしたものの・　　　・d. なかなか正しく使えない。

B. 「〜ものの」を使って、次の文を完成させなさい。

(1) たばこは体に悪いとわかっているものの、_____ 。

(2) _____ ものの、
全部忘れてしまった 。

(3) _____ ものの、_____

_____ 。

(4) がんばって _____ ものの、_____
てしまい、結局その努力はむだになってしまった。

B まとめの練習

1. グラフを見て、[____]の言葉を使って文章を完成させなさい。必要なら形を変えなさい。同じ言葉は一度しか使えません。

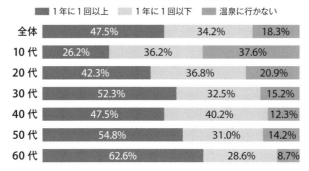

1年に何回くらい温泉に行きますか

■ 1年に1回以上　□ 1年に1回以下　▨ 温泉に行かない

全体	47.5%	34.2%	18.3%
10代	26.2%	36.2%	37.6%
20代	42.3%	36.8%	20.9%
30代	52.3%	32.5%	15.2%
40代	47.5%	40.2%	12.3%
50代	54.8%	31.0%	14.2%
60代	62.6%	28.6%	8.7%

　日本では、昔から温泉の人気が高いが、どの年代でも人気があるのだろうか。20XX年の6〜7月に10代から60代の男女1,215人に温泉についてのアンケート調査を行った。これから、1年に何回くらい温泉に行くかを年代別に見 ① _____ 、その傾向について述べる。

　このグラフはアンケート結果を表したものだ。1年に何回くらい温泉に行くかを10代から60代に聞い ② _____ 、「1年に1回以上」という回答は全体の47.5%だった。10代では「1年に1回以上」は少なく26.2%に ③ _____ た。

　④ _____ 、60代は最も多く62.6%に ⑤ _____ た。また、10代では「温泉に行かない」という回答が40%近くを ⑥ _____ 、「温泉に行かない」と「1年に1回以下」を合わせると70%を ⑦ _____ 。この結果から、年齢が高い人 ⑧ _____ 温泉によく行く傾向があることがわかる。

　しかし、40代を見てみると、「1年に1回以上」は47.5%で10代と20代よりは多かったが、30代より低かった。この理由は、40代は温泉には行きたいと思っている ⑨ _____ 、仕事や家庭で忙しく、温泉に行く時間がないからかもしれない。

> ～たところ　　～ものの　　のぼる　　占める　　～つつ
> とどまる　　超える　　一方で　　～ほど

2. [____] の言葉を使って、文を完成させなさい。必要なら形を変えなさい。同じ言葉は一度しか使えません。

(1) 日本では、第一外国語として英語を学ぶ人が多数を _____ 。

(2) このアプリの利用者は 1 年で 2 億増え、6 億人に _____ たそうだ。

(3) あの子は小学生 _____ 、ダンスの世界チャンピオンだ。

> とどまる　　達する　　占める　　ながら

3. 文を完成させなさい。

(1) 東京はバスや電車が便利で生活しやすいと言われているが、一方で、
いっぽう

_____ が問題だと言う人もいる。

(2) E メールは _____ 。

一方で、手紙は _____ 。

(3) 社員を大切にする会社ほど、_____ 。

(4) 人に親切な人ほど、_____ 。

(5) _____ つつ、レポートを書いた。

(6) _____ に気をつけつつ、_____ 。

(7) _____ たところ、毎週末がとても楽しくなった。

(8) _____ たところ、

_____ 。

(9) 長い間 _____ ているものの、

_____ 。

(10) 人気があると聞いたので _____ ものの、

_____ た。

4. ［　　　　　　　］の言葉を 3 つ以上使って、「新しくチャレンジしたこと」について書きなさい。使った言葉に下線を引きなさい。

> ～つつ　　一方で　　～ほど　　～たところ　　～ものの
> 　　　　いっぽう

例　　　寮のカフェテリアは食べ放題でつい食べすぎてしまう。そのせいで、入学して半年で 8kg も太ってしまったので、初めてダイエットをしようと決心した。まず、インターネットで調べた<u>ところ</u>、バランスのよい食事と適度な運動を長く続けられる人<u>ほど</u>ダイエットに成功しやすいことがわかった。それからは、食事の栄養バランスに気をつけ<u>つつ</u>、毎日運動するようにした。食事は問題なかったが、<u>一方で</u>、運動を続けるのは難しかった。ジムのメンバーになった<u>ものの</u>、行くのが面倒で、結局 2 週間でやめてしまった。そこで、今度は学校までバスを使わず歩くようにしたら、少しずつ体重が減ってきた。この経験から、何か新しいことにチャレンジする時に大切なのは自分が続けられる方法を見つけることだと思った。

_____

_____

_____

_____

_____

_____

_____

📖 読み物1 よろしく──日本語 表と裏 [p. 137]

A 読み物1 ▶ ○×チェック

本文の内容と合うものに○、合わないものに×をつけなさい。

① （　　　　） 「よろしく」は年賀状の挨拶や誰かに何か頼む時の慣用語として使われる。

② （　　　　） 筆者の考えでは、「『よろしく』と言って頼みごとをする」ということは、「相手に何をするかを決めさせる」ということになる。

③ （　　　　） 筆者は具体的な要求をされるより「よろしく」と頼まれるほうがいいと思っている。

④ （　　　　） パリにいた筆者が友人の依頼に対して何もしなかったのは、友人への甘えだろう。

⑤ （　　　　） 「よろしく」というのは相手にあれこれ考えさせることなので無礼になることもある。

B 読みのストラテジー ▶ 練習

読みのストラテジー ⑱ (p. 140) を使って答えなさい。

⑱ キーワード (Keywords)

(1) この読み物で3回以上使われている言葉を5つ探しなさい。

① _____ 　　② _____ 　　③ _____

④ _____ 　　⑤ _____

(2) （1）で挙げた言葉に関連がある言葉があったら、書きなさい。

(3) 筆者は「よろしく」という言葉について、どう考えていますか。（1）と（2）の言葉をなるべくたくさん使って説明しなさい。

_____

_____

_____

_____

C 読み物 1 ▶ 内容質問

1. 「慣用語、あるいは挨拶語だといって聞き流せばそれまで」(行3-4) というのは、どういう意味ですか。
   他の言葉で説明しなさい。

2. 寄付の例 (行15-20) から筆者が言いたいのはどういうことですか。(　　　) に適当な言葉を書きなさい。

   寄付を頼まれた場合、もし「一口いくら」と具体的な金額が書いてあれば、協力すること
   も (① 　　　　　　　　) こともできる。しかし、具体的な金額がなく、「(② 　　　　　　　　)
   で結構です」と言われると、いくら (③ 　　　　　　　) すべきか悩まなければならない。
   つまり、「よろしく」は「②で結構です」と同じで、頼まれた相手はそう言われると思い
   悩まねばならず、(④ 　　　　　　　) な要求をされるよりもっと迷惑に感じる。

3. 「あまりにも甘えすぎであり、虫がよすぎる」(行31-32) とありますが、①誰が誰に甘えすぎなのですか。
   ②何が「虫がよすぎる」のですか。

   ① _____ が _____ に甘えすぎです。

   ② _____

4. 「それ」(行35) は何を指しますか。

5. 「よきにはからえ」(行41) について答えなさい。
   ①「よきにはからえ」の意味を調べなさい。

   ② 誰がどんな時に使う言葉ですか。

   ③ この例を通して筆者が言いたいことは何ですか。a～cから最も適当なものを選びなさい。

   a.「よろしく」の代わりに「よきにはからえ」を使うべきだ。
   b.「よろしく」は「よきにはからえ」と同じように相手の意志を尊重する言い方だ。
   c.「よろしく」は「よきにはからえ」と同じように相手に責任を押しつける失礼な言い
   　方だ。

📖 **読み物 2**) 二重人格者の会話──日本語の復権　　　　　　　　　　　　[p. 138]

A 読み物 2 ▶ ○×チェック

本文の内容と合うものに○、合わないものに×をつけなさい。

① （　　　　） 筆者は日本語が上手なフランス人の友人が 3 人いて、よく 4 人で会話する。

② （　　　　） 筆者とフランス人の友人は、日本語とフランス語の両方を使って話す。

③ （　　　　） 筆者のフランス人の友人は、日本語を話す時、フランス語の時とは印象が変わると筆者は感じている。

④ （　　　　） 筆者は、キングズ・イングリッシュが落ち着いたイギリス人をつくるということはあり得ないと思っている。

⑤ （　　　　） 「お茶を飲みませんか」より「お茶でも飲みませんか」と言うほうがはっきりしている。

B 読みのストラテジー ▶ 練習

読みのストラテジー ⑱ (p. 140) を使って答えなさい。

⑱ **キーワード** (Keywords)

（1） この読み物で 6 回以上使われている言葉を 2 つ探しなさい。

① _____　　② _____

（2） （1）の言葉と対比して使われている言葉を書きなさい。

① _____　　② _____

（3） 筆者は言葉と人格の関係について、どう考えていますか。（1）と（2）の言葉をなるべくたくさん使って説明しなさい。

_____

_____

_____

_____

C 読み物 2 ▸ 内容質問

1. 「不思議な感覚」(行3) とは、どのような感覚ですか。

2. 「それぞれの国語によって表現しやすい二つの人格を、いつのまにか、うまく使い分けている」(行14−15)
   とありますが、筆者と友人は何をどのように使い分けているのですか。

   ＿＿＿＿＿＿＿＿＿＿＿＿＿＿＿＿＿ 時には日本語を使い、

   ＿＿＿＿＿＿＿＿＿＿＿＿＿＿＿＿＿ 時にはフランス語を使うというように使い分けている。

3. 「俗論」(行22) とは、例えばどんなことですか。本文に書かれている俗論を 2 つ説明しなさい。

4. 「その点」(行22) とはどのような点のことですか。

5. 「わが同胞」(行28) とはどこの国の人のことですか。

6. 「わがイタリアの友人などからすれば、さぞかし歯がゆい話であるにちがいない」(行36−37) とあります
   が、①何がイタリア人にとって歯がゆいのですか。また、②なぜ歯がゆいのですか。

   ① ＿＿＿＿＿＿＿＿＿＿＿＿＿＿＿＿＿＿＿＿＿＿＿＿＿＿＿＿＿＿

   ② ＿＿＿＿＿＿＿＿＿＿＿＿＿＿＿＿＿＿＿＿＿＿＿＿＿＿＿＿＿＿

文型・表現ワーク

A 基本練習

⭐ **1.** 〜なり〜なり　[p. 141]

「〜なり〜なり」を使って、文や会話を完成させなさい。

(1) 母：だらだら、ごろごろするくらいなら、_____ なり、

_____ なり、何かしたらどうなの？

子：はーい……。

(2) ホストマザー：晩ご飯がいらない時は、_____ でなり、_____ でなり
連絡してね。

留学生　　　：はい、わかりました。

(3) 妻：新しく引っ越す家に、この荷物、全部入るかなあ……。

夫：いらない物は、_____ なり、_____ なりしたほうがよさそう
だね。

(4) 留学中に何かわからないことがあった時は、事務スタッフ（　　　　）なり、
particle

_____（　　　　）なり聞いたほうがいい。
particle

(5) 空港で暇な時は、_____ なり、_____ なりすると
いいだろう。

(6) 疲れている時は、_____ なり、_____ なりして、
リラックスするようにしている。

⭐ 3. ～すえ（に） [p. 142]

「～すえ（に）」を使って、文や会話を完成させなさい。

(1) _____ すえに、沖縄旅行に行くことに決めた。
　　　　　　　　　　　　　　おきなわ

(2) 先日の _____ の試合は、接戦のすえに _____ た。
　　　　　　　　　　　　　　　　　　　せっせん

(3) 大変な努力のすえ、ついに _____ ことができた。

(4) いろいろと悩んだすえ、_____ ことにした。

(5) _____ すえ、_____ ことにした。

(6) 先生： 卒業後の進路 (path for the future) はどうするんですか。

　　学生： _____ すえに、

　　　　　_____ ことにしました。

⭐ 4. Ｎまで [p. 143]

「Ｎまで」を使って、文や会話を完成させなさい。

(1) Ａ： ジョージは料理が得意だそうだね。

　　Ｂ： うん。_____ だけでなく、_____ まで作れる
　　　　そうだよ。

(2) 最近は大人だけではなく子どもまで、_____ 。

(3) Ａ： 最近のスマートフォンのアプリはすごいですよね。

　　Ｂ： ええ。_____ だけでなく、

　　　　_____ までできるそうですよ。

(4) _____ は、日本はもちろん、_____ でまで

　　_____ 。

(5)　A：グエンさんって、外国語が５つも話せるし、料理も得意だし、

　　　　　_____ まで _____ んですよ。

　　　B：本当にすごい人ですね。

(6)　日本語を３年勉強したら、_____ まで

　　　_____ ようになった。

⭐ **6.** 〜かねない　[p. 144]

「〜かねない」を使って、文や会話を完成させなさい。

(1)　毎日遅くまで働いていると、_____ かねない。

(2)　歩きながらスマートフォンを使っていると、_____ かねない。

(3)　日本では _____ と、
失礼な人だと思われかねない。

(4)　_____ を放っておくと、_____ かねない。

(5)　A：台風が来るそうですが、明日の新幹線は無事に動くでしょうか。

　　　B：さあ……。強い台風らしいから、新幹線は _____
かねませんね。

(6)　A：前川さん、_____ そうですよ。本当に
信じられませんね。

　　　B：ええ、でも彼女なら _____ かねませんね。普通の学生ならそんなこ
と怖くて絶対できないと思うんですが……。

B まとめの練習

1. □□□□□ の言葉を使って、文や会話を完成させなさい。必要なら形を変えなさい。同じ言葉は一度しか
   使えません。

(1)　この会社は給料 ＿＿＿＿＿＿＿＿＿＿＿＿＿＿＿＿＿ 、人間関係はとてもいい。
　　　きゅうりょう

(2)　〈試験前のアナウンス〉

　　　テストに名前を書いていない人は、０点 ＿＿＿＿＿＿＿＿＿＿＿＿＿ 。

(3)　A：ああ、暇だなあ。何か楽しいことないかな？
　　　　　ひま

　　　B：ジムに行って運動 ＿＿＿＿＿＿＿＿＿＿ したら？

(4)　宝くじに当たったが、このことは誰にも言 ＿＿＿＿＿＿＿＿＿＿＿＿＿＿ 。
　　　たから

(5)　行き先がどこ ＿＿＿＿＿＿＿＿＿＿＿＿ 、仲がいい友達と行く旅行は楽しい。

(6)　A：お昼はカップラーメンを食べようかな、それともファーストフードにしようかな。

　　　B：＿＿＿＿＿＿＿＿＿＿＿＿ 、あまり体にいいものとは言えないね。せめてサラダ
　　　　　も一緒に食べたら？

(7)　カフェインはダイエット効果があるらしいので、

　　　一概に体に悪い＿＿＿＿＿＿＿＿＿＿＿＿＿＿＿＿＿＿ 。

> ～まい　　　　　　　～であれ　　　～はさておき　　　～とばかりは言えない
> いずれにしても　　　～とする　　　～でも

2. 文や会話を完成させなさい。

(1) A: パーティー楽しみだなあ。ところで、もう準備できてるよね？

B: できてるわけないでしょ？ ぼーっとしてないで、_____ なり、

_____ なりして、手伝ってよ！

(2) 隣の人がうるさいので、_____ なり、_____ なり
となり
しなければ、勉強ができない。

(3) 社員A: この書類 (document)、いつまでに見ればいいでしょうか。今日はちょっと
忙しいんですが。

社員B: _____ なり、_____ なり、時間がある時でいい
ですよ。

(4) いろいろ調べたすえ、_____ 。

(5) _____ すえに、もう少しこの会社で働くことにした。

(6) 今朝から気分が悪かったが、_____ まで痛くなってきた。

(7) 弟は小学生なのに、_____ の問題にまで答えられる。

(8) 本田さんは動物が好きなのだが、_____ や _____
ほん だ
だけでなく、_____ まで飼っている。

(9) テレビばかり見ていたら、_____ かねない。

(10) お酒を飲みすぎると、_____ かねない。

3. _____ の言葉を 3 つ以上使って、自分の国の言葉と日本語について書きなさい。使った言葉に下線を引きなさい。

> ～なり～なり　　～すえ　　～まで　　～かねない

例　　日本語を勉強し始めた時、人の誘いを断るには「う〜ん、今週の土曜日はちょっと……」と言えばいいと教えてもらった。つまり、理由<u>まで</u>説明する必要はないということだ。最初は、こんなにあいまいな返事をするのは失礼だと思ったが、今ではこの表現も悪くはないと感じている。英語だと、"I have to work on my paper."（レポートを書かなきゃいけないから）と言う<u>なり</u>、"My parents are visiting me this weekend."（今週末両親が来るから）と言う<u>なり</u>、理由を説明することが多い。しかし、もし正直に、"I want to play videogames rather than watching a movie."（映画を見るよりゲームがしたい）と言ってしまうと、その友達との関係を壊<u>しかねない</u>。そう考えると、あいまいな返事はとても便利な表現だ。

_____

_____

_____

_____

_____

_____

_____

📖 **読み物 1** **奇跡の職場　新幹線清掃チームの "働く誇り"** [p. 166]
　　　　　　　　　　　しん かん せん　　　　　　　　　ほこ

A **読み物 1 ▶ ○× チェック**

本文の内容と合うものに○、合わないものに×をつけなさい。

① （　　　　） TESSEI の最大の特徴は、働いているスタッフが礼儀正しいことだ。

② （　　　　） TESSEI のスタッフは、清掃中に忘れ物を見つけたら JR に連絡する。

③ （　　　　） TESSEI の職場では、現場のスタッフのアイデアが大切にされているようだ。

④ （　　　　） お辞儀やご案内などのサービスをすればするほど、TESSEI の収入は増える。

⑤ （　　　　） 矢部さんは、「人の役に立つ」ことが今まで以上に大切な時代になっている
　　　　　　　や べ
　　　　　　　と感じている。

B **読みのストラテジー ▶ 練習**

読みのストラテジー ⑲ (p. 170) を使って答えなさい。

⑲ **小見出し** (Subheadings)

（1）　セクション 3 (行 29－47) の各段落に書かれていることを、小見出しをヒントにしてまとめましょう。

◆「お金にならない仕事」に喜びを見出す

第 1 段落 （行 30－32）	お金になる仕事の例
第 2 段落 （行 33－34）	お金にならない仕事の例
第 3 段落 （行 35－37）	お金にならない仕事が重要な理由は、 お客様からの「ありがとう」の言葉がスタッフの喜びになり、 （①　　　　　　　　　　　　）や（②　　　　　　　　　　）につながるから。
第 4－5 段落 （行 38－43）	今までは（③　　　　　　　　　　　　　　）だけが重要だった。 今は、「人のためになる」「役に立つ」という意識が重要な意味を持つ。 これからはお金にならない仕事が重要だ。
第 6－7 段落 （行 44－47）	これからの時代の仕事は、スタッフの喜びと客の（④　　　　　　　　）の 気持ちの循環をもとに進んでいく。

（2）　どうして「お金にならない仕事」に喜びを見出せるのですか。

C 読み物 1 ▶ 内容質問

1. セクション 1 (行 1 – 14) を読んで（　　　　）に適当な言葉を入れ、内容をまとめなさい。

・TESSEI　：東北新幹線や上越新幹線の（①　　　　　　　　　　）を担当する会社。
　　　　とうほく　　じょうえつ

・最大の特徴：（②　　　　　　　　　　）。CNN の番組は（③　　　　　　　　　　）と表現。

・清掃の内容：（④　　　　　　　　　　）。

2. 「清掃といっても、……多種多様」(行 7 – 14) とありますが、この部分で筆者が言いたいことは何ですか。

3. 「3K」の職場で、なぜ「スタッフたちはみんな表情が明るく、やる気にあふれて」(行 19 – 20) いるのですか。

4. TESSEI が目指している「現場ありきの『全員経営』」(行 23) とは、どのような経営ですか。
　　　_____ に適切な言葉を入れ、【　　】は正しいほうを選びなさい。

　　　 TESSEI が目指している「現場ありきの全員経営」とは、実際に現場で _____
をするスタッフの人達の意見を重視して、社員全員が会社の _____ に参加する
【 トップダウン ・ ボトムアップ 】経営のことである。これは、社長が経営に関すること
をすべて決める【 トップダウン ・ ボトムアップ 】経営とは異なる。

5. 「好循環が生まれる」(行 46) とありますが、どんな好循環か下の図を完成させなさい。

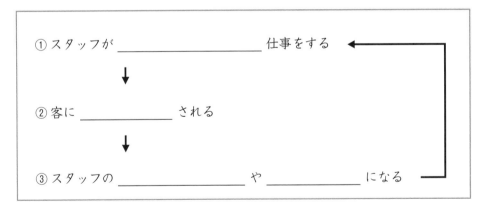

① スタッフが _____ 仕事をする

↓

② 客に _____ される

↓

③ スタッフの _____ や _____ になる

6. タイトルの「奇跡の職場」とは①どこを指しますか。②どうして筆者は①を「奇跡の職場」と呼んでいるのですか。

① _____

② _____

📖 読み物 2　あらしのよるに

[p. 169]

A　読み物 2 ▶ ○×チェック

本文の内容と合うものに○、合わないものに×をつけなさい。

①（　　　）筆者によると、「あらしのよるに」は子どもが常識を学ぶのに役立つようだ。

②（　　　）昔、中央アフリカの低地ではゴリラを食べる習慣があった。

③（　　　）筆者はテロ集団やテロ国家と平和に共存できる可能性があると考えている。

④（　　　）昔から今までずっと、人間にとってライオンは天敵だ。

⑤（　　　）筆者がゴリラと仲良くなった地域では、大部分のゴリラが人間を仲間だと思っている。

B　読みのストラテジー ▶ 練習

読みのストラテジー ⑳ (p. 171) を使って答えなさい。

⑳ 隠喩 (Metaphor)

（1）次の隠喩が意味することを、簡単な表現を使って書きなさい。

① 「手を取り合って歩む」 (行 20)

② 「観光の目玉になった」 (行 48)

③ 「ゴリラと私たちは落ち着いて向かい合えるようになった」 (行 85 – 87)

（2）「『あらしのよる』を体験してほしい」(行 95 – 96) という言葉で、筆者が伝えたいことは何ですか。a〜e から正しいものを 1 つ選びなさい。

a.「あらしのよるに」という歌舞伎をぜひ見てほしいということ。

b.「あらしのよるに」の物語のように、仲間に反対されても友情を大切にしてほしいということ。

c.「あらしのよるに」の物語のように、常識になっている敵対関係を疑ってほしいということ。

d.「あらしのよるに」のタイトルのように、嵐の晩を経験してほしいということ。

e.「あらしのよるに」の物語のように、心が折れそうになる経験から何かを学んでほしいということ。

C 読み物 2 ▶ 内容質問

1. 「あらしのよるに」のストーリーを簡単にまとめなさい。

ある嵐の夜に、（①　　　　　　　）と（②　　　　　　　　）が小屋に逃げこんだ。小屋の
中は暗かったので、二人はお互いに正体がわからないまま話をして仲良くなった。し
かし次の日の昼にもう一度会うと、（③　　　　　　　）と（④　　　　　　　）だっ
たということがわかった。③にとって④は（⑤　　　　　　　）で、④にとって③は
（⑥　　　　　　　）だ。二人はそれぞれの仲間に説得されて心が折れそうになるが、結局、
（⑦　　　　　　　　　）より、（⑧　　　　　　　　　　　　）を大切にすることに
した。

---

2. 「それぞれが仲間に説き伏せられて心が折れそうになる」(行 16 − 17) とありますが、①「それぞれの仲間
   に説き伏せられる」とは、誰が、誰に、どのようなことを言われるということですか。②「心が折れそうに
   なる」とはどういう意味ですか。

   ① _____

   ② _____

3. 「一見常識に見える絶対的敵対関係を、人間は勝手に作り、そしてまた勝手に解消してきたのである」
   (行 30 − 33) とはどういうことですか。人間のゴリラに対するイメージの変化を使って説明しなさい。

   ゴリラは、19 世紀半ばの欧米人にとって _____。
   　　　　　　　　　　　おうべい

   しかし、今は _____ になった。また、中央アフリカの低地で
   　　　　　　　　　　　　　　　　　　　　　　　　　　　　　　　ちゅうおう

   は昔から、_____。

   しかし、今は、_____ 。

4. 「あらしのよる」から学べる教訓は何ですか。

5. 「それ」(行 92) とは何を指しますか。

文型・表現ワーク

A 基本練習

⭐

1. 〜といっても [p. 172]

「〜といっても」を使って、文や会話を完成させなさい。

(1)　A：今晩は和食がいいなあ。

　　　B：_____ といってもいろいろあるけど、特に何が食べたい？

(2)　一口に小説といっても、_____ 。
　　ひとくち

(3)　ジョージ：メイリン、映画に出たんだって!? すごいなあ。

　　　メイリン：_____ といっても、エキストラ (extra) だけどね。

(4)　本田：大川さん、最近車を買ったそうですね。
　　ほんだ　おおかわ

　　　大川：ええ、でも _____ といっても、_____ んですよ。

(5)　_____ 経験があるといっても、

　　　_____ 。

⭐

2. 〜がち [p. 173]

A. 次ページの [____] の言葉を使って、文や会話を完成させなさい。必要なら形を変えなさい。同じ言葉は一度しか使えません。

(1)　A：最近、_____ がちの日が続いていますね。

　　　B：そうですね。でも今度の日曜日は晴れるそうですよ。

(2)　研　　　：英語の発音で日本人が _____ がちなものって何だと思う？
　　けん

　　　ジョージ：やっぱり「R」と「L」じゃないかな。

(3)　先生：最近、宿題を出すのが _____ がちですね。ちゃんと提出日に出してください。

　　　学生：すみません。他の授業も忙しくて、つい……。

(4) 中川：松本さんは、子どもの頃、何かスポーツをしていましたか。
　　なかがわ　まつもと

　　松本：いえ。_____ がちだったので、したくてもスポーツはあまりでき
　　　　　なかったんです。

(5) A：パクさん、今日も授業に来なかったよね。どうしたのかな。

　　B：最近 _____ がちだよね。いったいどうしたんだろう。

> 病気　　忘れる　　休む　　遅れる　　くもり　　間違える

B.「～がち」を使って、文を完成させなさい。

(1) 忙しい時は、_____ てしまいがちだ。

(2) 私の国に来た観光客は、_____ がちだが、

　　実は、_____ ほうがおすすめだ。

(3) _____ てしまうことは、日本語の
　　勉強を始めたばかりの人にありがちな失敗だ。

★
5. ～にすぎない　[p. 175]

「～にすぎない」を使って、文や会話を完成させなさい。

(1) 黒川：中山さんは、木村さんと付き合っているって本当ですか。
　　くろかわ　なかやま　きむら

　　中山：いえいえ、_____ にすぎませんよ。いったい誰が
　　　　　そんなことを言ったんですか！？

(2) A：今日は本当にありがとうございました。助かりました。

　　B：いえいえ。私は少し _____ だけにすぎませんから。

(3) 秋山：細川さん、ビジネスを始めたそうですね。
　　あきやま　ほそかわ

　　細川：ええ。でも、_____ にすぎません。

(4) 私はただ趣味で _____ ているにすぎないので、

_____ つもりはない。

(5) _____ というのは、うわさ
にすぎない。

(6) _____ ことは、_____ ために必要な
        (Potential form)

スキルの一つにすぎない。大切なのは、_____ だ。

⭐ 6. ～以上（は） [p. 175]

「～以上（は）」を使って、文や会話を完成させなさい。

(1) 管理人 ： 寮 _____ 以上は、使ったお皿はすぐ洗うなどのルールを
きちんと守ってくださいね。

学生　 ： はい、わかりました。

(2) A ： 昨日始まったインターンシップ、もうやめたいんだ。

B ： 始まってしまった以上、_____ 。がんばって。

(3) A ： ダンス部の先輩に発表会までにもっと練習するように言われちゃった。

B ： _____ 以上、_____ 。

(4) _____ 以上、時間に遅れてはいけない。

(5) 日本語を勉強している以上、_____ なければいけない。

(6) _____ 以上、_____ べきだ。

⭐ 7. ～うえで [p.176]

A. ☐☐☐☐ の言葉を使って、文を完成させなさい。必要なら形を変えなさい。同じ言葉は一度しか使えません。

(1) _____ うえで大切なことは、勉強とのバランスをしっかり
考えることだ。

(2) 薬を飲む時は _____ うえで、飲んでください。
 (くすり)

(3) _____ うえで注意すべきことは、自分の文化の価値観で判断
しないことだろう。

(4) _____ うえで一番問題になるのは、掃除のことじゃない
だろうか。

(5) 就職のための面接は _____ うえで受けたほうがいい。

(6) _____ うえで重要なことは、子どもの気持ちになって考える
ことだ。

社会人になる	アルバイトをする	小学生に教える	よく準備する
外国で生活をする	説明をよく読む	ルームメートと一緒に暮らす	

B. 「～うえで」を使って、文を完成させなさい。

(1) 住むアパートを決 _____ うえで一番重要なことは、

_____ 。

(2) _____ かは、両親と相談 _____ うえで
決めたほうがいい。

(3) _____ うえで大切なことは、

_____ ことだ。

(4) 先輩の話を聞いたうえで、_____
かどうか判断したい。

⭐ 11. 〜なり [p.179]

「〜なり」を使って、文や会話を完成させなさい。

(1)　クラスメートは _____ なり、宿題をし始めた。

(2)　父： 咲希はどこに行ったの？ 家に _____ なり、
　　　　　　　　　　さき

　　　　また _____ みたいだけど。

　　　母： 今日はクラスのみんなと駅の近くで晩ご飯を食べるんだって。

(3)　A： あれ？ パクさんはどこに行ったの？

　　　B： わからない。僕の顔を見るなり、_____ から。

(4)　A： ねえ、聞いてよ。ルームメートが _____ なり、

　　　　　私に _____ って言ってきたんだよ。

　　　B： えー、信じられない！

(5)　彼はその話を聞くなり、_____ 。

(6)　彼女は _____ なり、_____ 。

B まとめの練習

1. ☐☐☐☐ の言葉を使って文を完成させなさい。必要なら形を変えなさい。同じ言葉は一度しか使えません。

　(1) CD をもらったが、プレーヤーを持っていないので、聞き ＿＿＿＿＿＿＿＿ 。

　(2) 今日は昨日と同じくらい気温が高いが、風がある ＿＿＿＿＿＿＿ 、涼しく感じる。
　　　　　　　　　　　　　　　　　　　　　　　　　　　　　　　　　　　すず

　(3) 友達と話す時、目上の人と話す時など、日本語では状況 ＿＿＿＿＿＿＿＿ 話し方
　　　を変えます。

　(4) 驚く ＿＿＿＿＿＿＿＿ ！ 実は、彼は 10 カ国語も話せるのだ。

　(5) 大きな音にびっくりして、持っていたコップを落とし ＿＿＿＿＿＿＿＿ 。

> ～といっても　　　～に応じて　　　～分だけ
> 　　　　　　　　　　　　　　　　　　　　ぶん
> ～そうになる　　　～なかれ　　　　～ようがない

2. ☐☐☐☐ から一番いい言葉を選んで、正しい形にして書きなさい。

　(1) 忙しいと、つい ＿＿＿＿＿＿＿＿ がちだが、どんな時もきちんと食事を取ることは
　　　大切だ。

　(2) 日本人は、「日本に来る外国人はみんな英語がわかる」と ＿＿＿＿＿＿ がちだが、
　　　英語より日本語のほうが得意な人も多い。

　(3) リーさんは最近 ＿＿＿＿＿＿＿＿ がちだ。もう 1 週間も会っていない。

　(4) 雨や風が強いと、電車は ＿＿＿＿＿＿＿＿ がちになる。

> 休む　　　忘れる　　　止まる　　　思う

3. 文や会話を完成させなさい。

(1) 私の国の人（_____ 人）は _____ と思われがちですが、

実は _____ 人も多いです。

(2) _____ は、子どもにありがちな問題だ。

(3) 異文化を知るうえで大切なことは、_____
んじゃないでしょうか。

(4) 卒業後のことは、_____ うえで決めるつもりだ。

(5) 選手として試合に出る以上は _____ 。

(6) キム ： 日本の会社で働いているそうですね。すごいですね。

クック： いえいえ。_____ といっても、

_____ にすぎませんよ。

(7) 一口に _____ といっても、_____ 。
ひとくち

(8) A： どんな勉強がしたくて、大学に入ったんですか。

B： 実は、勉強がしたかったんじゃないんですよ。

_____ にすぎないんです。

(9) 学生たちはベルが鳴るなり、_____ 。

(10) A： 今日、山中さんの様子、変じゃなかった？
やまなか

B： うん。_____ なり、_____ けど、
どうしたんだろう？

(11) A： _____ 以上、_____ たいです。

B： いいですね。それができたら、ぜひ話を聞かせてくださいね。

4. 　☐☐☐☐の言葉を 3 つ以上使って、「仕事」について書きなさい。使った言葉に下線を引きなさい。

> ～といっても　　～がち　　～にすぎない
> ～うえで　　　　～以上　　～なり

例　　　仕事は嫌なものだと考えられがちだ。仕事は生活するお金を稼ぐためにするものにすぎないのだから、嫌だと思うのは当然だし、楽しいものであるはずがないと言う人もいる。しかし、仕事を楽しむことは、充実した人生を送るうえで必要なことだと思う。楽しんだほうが仕事に対するモチベーションも上がるし、日々の生活も明るくなるからだ。もちろん仕事である以上、責任を持って取り組むべきだが、楽しもうという意識も大切ではないだろうか。

_____

_____

_____

_____

_____

_____

_____

ブラッシュアップ

上級へのチャレンジ① ワーク

視点 Viewpoint

[p. 200]

1. イラスト①〜④のストーリーを、妹の視点と兄の視点で書きなさい。

妹の視点

① バイト代が入ったので、ずっと食べたかった店のケーキを買いに ___行___ た。

② 家に帰って、テーブルにケーキを置いた。
しかし、手を洗っている間に兄にケーキを全部 ___食___ た。

③ すごく楽しみにしていたので ___泣___ てしまった。

④ でも、次の日、兄は悪いと ___思___ で、同じ店のケーキを ___買___ た。
兄がわざわざ ___買___ たので、とても ___うれし___ た。

兄の視点

② だれかが帰ってきた音がしてリビングに行くと、テーブルの上にケーキがあった。もうすぐ誕生日なので、僕へのプレゼントだと思って、___食___ た。

③ しかし、それは妹のケーキだったようで、妹を ___泣___ てしまった。

④ 次の日、悪いと ___思___ たので、同じ店のケーキを ___買___ た。僕が ___買___ たケーキを見て、妹はとても ___うれし___ た。

2. （　　　）の動詞を適当な形にして、留学生（私）の視点で書かれた文章にしなさい。形が変わらないものもあります。

　　ホームステイをしてよかったことはたくさんある。まず、日本語を上達させることができた。お父さんは、私が日本語を①（間違える → 　　　　　　　　　）と必ず②（直す → 　　　　　　　　　）た。そして、お母さんに和食の作り方を③（教える → 　　　　　　　　　）たので、一人で作れるようになった。

　　でも、大変なこともあった。例えば、じゃんけんで負けた人はおふろを掃除(そうじ)しなければいけなかった。私はよく負けて、何回も掃除(そうじ)④（する → 　　　　　　　　　）た。それから、晩ご飯がいらない時は、5時までにお母さんに必ず連絡(れんらく)⑤（する → 　　　　　　　　　）ように⑥（言う → 　　　　　　　　　）た。ある日、連絡するのを⑦（忘れる → 　　　　　　　　　）たら、ものすごく⑧（怒る → 　　　　　　　　　）てしまった。

　　ホストファミリーが本当の家族のように⑨（接する → 　　　　　　　　　）ので、一生の思い出ができた。

3. 下線(かせん)の部分を変えて、ジョージの視点で書かれた文章にしなさい。

　　今日はジョージの誕生日(たんじょうび)だが、朝から最悪だった。昨晩(さくばん)（ジョージは）ルームメートに①起こすように頼んで、②（ルームメートが）起こした。それなのに、もう一度寝てしまい、遅刻(ちこく)してしまった。授業では、かばんに入れたはずの宿題がなく、③先生が（ジョージを）怒った。そして授業の後、④先生が（ジョージに）仕事を手伝わせた。また、食堂では最後の残り一杯のラーメンを⑤前に並(なら)んでいた人が注文して、食べられなかった。仲のいい⑥友達が（ジョージの）誕生日を忘れて、だれも（ジョージに）「おめでとう」と⑦言わなかった。本当に最悪だった。でも、最後にいいこともあった。寮の友達が、⑧ケーキを作ってお祝(いわ)いした (celebrate) のだ。今日はジョージにとって忘れられない誕生日になった。

四字熟語 Four-character idioms
よ じ じゅく ご

[p. 202]

1. _____ に入る漢字のペアを _____ から選び、説明に合うように四字熟語を完成させなさい。
よ じ じゅく ご

(1) 一日 _____ …… 一日がとても長く感じられること
いちじつ

(2) 単刀 _____ …… 前置きを言わずに、本題に入ること
たんとう

(3) 大器 _____ …… 大物になる人は、普通よりも遅く成功するということ
たい き   せいこう

(4) 古 _____ 西 …… いつでもどこでも
こ   ざい

(5) _____ 伝心 …… 声に出さなくても、お互いに心で思っていることが伝わること
でんしん   たが

(6) _____ 美人 …… (だれからも悪く思われないように)
び じん
　　　　　　　　　　　　相手をほめるようなことをだれにでも言うこと

(7) 一期 _____ …… 人生で一度しかない出会いだから、それを大切にすること
いち ご   じんせい

(8) 三 _____ 温 …… 三日寒くて、その後に四日暖かくなることが繰り返されること
さん   おん

(9) _____ 強食 …… 弱い者が強い者の犠牲 (prey) になること
きょうしょく   ぎ せい

(10) 半 _____ 生 …… もう少しで死にそうなこと
はん   しょう

(11) _____ 道断 …… 言葉で表現できないほどひどいこと
どうだん

(12) 自画 _____ …… 自分で自分のことをほめること
じ が

(13) 意味 _____ …… 表面上の意味の他に、別の意味があること

(14) _____ 一憂 …… 状況が変わるたびに喜んだり不安になったりすること
いちゆう

弱肉	八方	十色	一喜	今東	一会	以心	深長
じゃくにく	はっぽう	と いろ	いっ き	こんとう	いち え	い しん	しんちょう
晩成	自賛	直入	寒四	死半	千秋	言語	
ばんせい	じ さん	ちょくにゅう	かん し	し はん	せんしゅう	ごん ご	

2. □□□□の中から適当な四字熟語を選んで、記号を書きなさい。同じ言葉は一度しか使えません。

(1)　子ども：インターネットは何でも調べられて、とても便利だね。

　　　父　　：そうだね。でも、何も考えないで、すぐに調べていると、自分の頭を使って
　　　　　　　考えなくなっちゃうよ。便利なものも（　　　）だから、気をつけて使わな
　　　　　　　いとね。

(2)　トマトに砂糖をかけて (sprinkle) 食べたら、いちごの味になると聞いたので、（　　　）
　　　でやってみた。すると本当にいちごの味がしたので驚いた。

(3)　山田さんは試験があるのに遊びに行って成績が悪かったようだが、（　　　）だ。

> A. 自業自得　　B. 八方美人　　C. 弱肉強食　　D. 半信半疑　　E. 一長一短

3. □□□□の中から適当な漢字を選んで（　　　）に書きなさい。同じ漢字は一度しか使えません。

(1)　学生A：昨日授業中に突然教室に犬が入ってきて、大変だったんだ。
　　　学生B：そんな話、（　　　）代未（　　　）だね。

(2)　運動は体にいいし、新しい友達もできるし、一（　　　）二（　　　）だ。

(3)　自分の会社を作った時は（　　　）苦八（　　　）したが、今はお客も多く、
　　　うまくいっている。

(4)　学生A：今学期はあと期末試験だけだね。今学期はAが取れそうだよ。
　　　学生B：今まで成績がよかったからといって、Aが取れると思ってはいけないよ。
　　　　　　　（　　　）断（　　　）敵。期末試験は全体の成績の50%だからね。

> 石　　苦　　大　　聞　　油　　前　　鳥　　四

上級へのチャレンジ③ ワーク

ことわざ Proverbs
[p. 206]

1. （　　　）に入ることわざを [　　　　] から選んで、記号を書きなさい。同じ言葉は一度しか使えません。
きごう

(1) A： ドイツ語を2年習ってるんだけど、すごく難しいんだ。習得できそうにないか
ら、やめようかなあ……。

B： （　　　）と言うから、あと1年がんばってみたら？

(2) 仕事をしていたら、読めない漢字があった。「『こんな漢字も読めないの？』とバカに
されたらどうしよう」と思ったが、「（　　　）だ」と思って、隣にいた先輩に聞いた。
となり

(3) 翻訳の仕事を紹介する番組を見て、翻訳家にあこがれるようになった。翻訳家になる
ほんやく
のは大変で、時間がかかるかもしれないが、（　　　）と言うので、これから毎日必
ず10個ずつ新しい単語を覚えようと思う。

(4) 悲しい時こそ、笑顔でいるようにするといいよ。（　　　）と言うからね。

(5) 二人の時はプロジェクトが全然進まなかったが、メンバーがもう一人増えると突然
いいアイデアが出始めた。まさに（　　　）だ。

(6) 人というものは、お互いに助け合って生きるべきだ。だから、困っている人を見つけ
たが
たら、助けるようにしたほうがいい。それに（　　　）と言うから、いいことをして
こま
いれば、いつか自分にそれが返ってくる。

(7) A： この道を右に曲がったら、もっと早く美術館に着くんじゃない？

B： でも（　　　）と言うから、やっぱりよく知っている道で行こうよ。

A. 情けは人のためならず　　B. 良薬は口に苦し　　C. 千里の道も一歩から
　なさ　　　　　　　　　　　　りょうやく　　にが　　　　　　せん　り　　　いっぽ

D. 石の上にも三年　　　　　E. 笑う門には福来たる　　F. 急がば回れ
　　　　　　　　　　　　　　　かど　　　ふく

G. 三人寄れば文殊の知恵　　H. 聞くは一時の恥、聞かぬは一生の恥
　　よ　　もんじゅ　ちえ　　　　　　いっとき　　はじ　　　いっしょう　はじ

---

2. _____ に漢字を1つ入れて、説明に合うようにことわざを完成させなさい。

(1) _____ も歩けば棒に当たる
       ぼう

　　……何か行動すると、いいことがあるかもしれない。

(2) 仏の _____ も三度
     ほとけ

　　……優しい人でも何度もひどいことをされたら怒る。

(3) _____ に小判
            こ ばん

　　……どんなに価値があるものでも、その価値がわからない人に与えたら無駄だ。
                                                                              む だ

(4) 三つ子の魂 _____ まで
     たましい

　　……小さい時の性格は年をとっても変わらない。

(5) 二 _____ あることは三 _____ ある

　　……物事は繰り返されるので、注意しなければいけない。

3. テキスト (p. 206 − 208) にあることわざを例のように使って作文を書きなさい。

　例　　日本に留学する前は、「私の日本語が通じなかったらどうしよう」「ルームメート
　　と仲良くなれなかったらどうしよう」などいろいろ心配していた。でも、実際日本
　　に行ってみたら、そのような心配事はすぐになくなり、今では国に帰りたくないく
　　らい日本での生活が気に入っている。まさに「案ずるより産むが易し」だ。
　　　　　　　　　　　　　　　　　　　　　　あん　　　　う　　やす

_____

_____

_____

_____

_____

_____

オノマトペ Onomatopoeia [p. 209]

1. 正しいものを選びなさい。

(1) メイリンは１年しか日本語を勉強していないのに【 a. ぼそぼそ　b. ぺらぺら　c. ぶつぶつ 】話せるので、うらやましい。

(2) 父は毎日ビールを【 a. すらすら　b. ぱくぱく　c. ごくごく 】飲んでいたので、最近ちょっと太ってきた。

(3) このサスペンス映画は、最後まで【 a. いらいら　b. はらはら　c. がっかり 】させられるので、サスペンス好きにおすすめだ。

(4) なくした財布が見つかったので、【 a. うきうき　b. ほっと　c. はらはら 】した。

(5) 夜中に勉強をしていた私の横でルームメートが【 a. すっきり　b. ぶつぶつ　c. ぐうぐう 】寝ていたので、【 a. いらいら　b. かんかん　c. ぷんぷん 】した。

(6) 夜コーヒーを飲むと【 a. ごくごく　b. ぐっすり　c. うとうと 】寝られない。

(7) ジョージが絵理の誕生日を忘れていたので、絵理は【 a. いらいら　b. かんかん　c. ぷんぷん 】怒っていた。

(8) 論文の内容は【 a. じろじろ　b. きょろきょろ　c. ざっと 】見ただけではわからない。

(9) 明日は単語の小テストがあるのに、なかなか覚えられなくて【 a. いらいら　b. うっとり　c. にやにや 】した。

(10) 私は長い文を読むのが苦手だ。【 a. ぼそぼそ　b. すらすら　c. ぶつぶつ 】読めるようになりたい。

(11) 【 a. ぎりぎり　b. うっかり　c. はらはら 】先生のことをお母さんと呼んでしまい、みんなに【 a. かんかん　b. きょろきょろ　c. くすくす 】笑われた。

(12) 父の大切な車を弟が父に黙って借りたどころか壊してしまった。父はそれを知って【 a. かっと　b. かんかん　c. ぷんぷん 】になって怒った。

(13) 「１週間でやせるお茶かあ。本当かなあ……。」と私が言うと、その変な店の店員は、「有名なモデルはみんな飲んでいるんですよ。お客様だけ５００円安くしますよ。」と【 a. げらげら　b. くすくす　c. にやにや 】しながら言った。

2. （　　　　）に入るオノマトペを ┌─────┐ から選んで書きなさい。同じ言葉は一度しか使えません。

『僕の初デート』

今日は彼女との初デートの日だった。昨日の夜は、緊張で①（　　　　　　　）して、

②（　　　　　　　）寝られなかった。朝、買っておいた新しい服を着て、③（　　　　　　　）

しながら出かけた。途中でなぜか知らない人に④（　　　　　　　）見られた。デートの時、

話すことがなくならないように、昨日考えたジョークを⑤（　　　　　　）言いながら歩い

ていたからかな？　ちょっと服が派手 (flashy) だったせいかな？　待ち合わせの場所で彼女を

⑥（　　　　　　）探した。そのとき突然後ろから「ごめん！」と声がした。後ろを向くと

彼女が⑦（　　　　　　）しながら、立っていた。かわいいワンピースを着た彼女を見て、

⑧（　　　　　　）した。予約しておいたレストランに着いた時、財布を⑨（　　　　　　）

家に忘れてきたことに気がついたので、急いで取りに帰った。途中で雨が⑩（　　　　　　）

と降り始めて、10分後には⑪（　　　　　　）降りになった。もう最悪だ！　レストラン

に戻ってきた時には⑫（　　　　　　）だった。席に着いて水を⑬（　　　　　　）飲んだ

ら、隣の席の客に⑭（　　　　　　）笑われた……。

┌───┐
│　くすくす　　　ぽつぽつ　　　きょろきょろ　　　じろじろ　　　ぐっすり │
│　ぶつぶつ　　　うっかり　　　ふらふら　　　　　ざーざー　　　どきどき │
│　うきうき　　　にこにこ　　　うっとり　　　　　ごくごく │
└───┘

3. マンガやチラシ、広告 (ad) でオノマトペを探してみましょう。どんなオノマトペが使われていますか。
そのオノマトペからはどんなイメージが伝わりますか。

上級へのチャレンジ ⑤ ワーク

カタカナ語 Katakana words

[p. 212]

1. （　　　　）に入るカタカナ語を ⬚⬚⬚⬚ から選んで、記号を書きなさい。同じ言葉は一度しか使えません。
きごう

(1) 気温が 30 度以上になるような日は（　　　　）をつけたほうがいい。

(2) 試験中に他の人の答えを見て写す（　　　　）は、決してしてはいけないことです。

(3) 私は卵（　　　　）で、卵を使った料理が食べられません。

(4) 自分のスピードでのんびりやっていると、「（　　　　）だね」と友達に言われることがある。

(5) 骨が折れて (break bones) いないか確認するために、病院で（　　　　）を撮ってもらった。
ほね お　　　　　　　　　　　　　　　　かくにん

(6) たくさん作りすぎて料理が余ったので、（　　　　）に入れて冷凍することにした。

(7) 簡単な（　　　　）を作って、クラスメートに答えてもらった。

(8) 私は服にこだわりがなく、いつも白いTシャツとジーンズの（　　　　）だ。

(9) 日本の小学生は、教科書を（　　　　）に入れて学校に持っていく子がほとんどだ。

(10) 5月の（　　　　）には、毎年山登りに行くことにしています。

A. タッパー	B. ホチキス	C. マイペース	D. ゴールデンウイーク
E. アレルギー	F. ウイルス	G. エアコン	H. カンニング
I. レントゲン	J. ランドセル	K. ワンパターン	L. アンケート

2. ①〜⑥のイラストが表すものをカタカナ語で書きなさい。

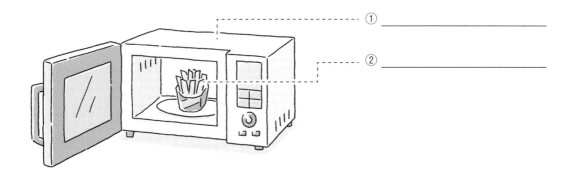

① _____

② _____

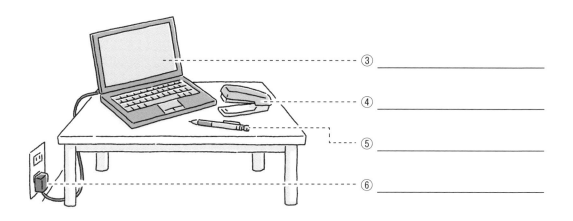

③ _____

④ _____

⑤ _____

⑥ _____

3. 次のカタカナ語の意味を調べて日本語で書きなさい。

(1) シール _____

(2) コインランドリー _____

(3) オーダーメイド _____

(4) ペーパードライバー _____

4. 町やインターネットで、英語とは意味が違ったり、英語にはないカタカナ語を探しなさい。そのカタカナ語と意味を日本語で書きなさい。

例 （ コンプレックス ） 英語の complex と違い、劣等感 (inferiority complex) の意味で使
れっとうかん
われる。

(1) （ ） _____

_____

(2) （ ） _____

_____

(3) （ ） _____

_____

接続詞 Conjunctions [p. 214]

1. 一番いい接続詞を選びなさい。

(1) 今日は寒い。【 だから ・ しかし ・ そして 】、ヒーターをつけた。

(2) 晩ご飯を食べた。【 それから ・ しかし ・ つまり 】、宿題をした。

(3) 来週、大切な試験がある。【 それで ・ それにもかかわらず ・ また 】、全然その試験のための勉強をしていない。

(4) 冬休みに北海道に行こうと思う。【 したがって ・ ところが ・ ちなみに 】、東京より北に行くのは初めてだ。

(5) 日本の教育制度についてもっと知りたいと思った。【 そこで ・ 要するに ・ それに 】、図書館で調べてみることにした。

(6) スーパーに買い物に行った。【 そして ・ なお ・ ところが 】、閉まっていた。

(7) 外国語を母語に翻訳する場合、高度な外国語の力が必要だ。【 したがって ・ さらに ・ それで 】、自然でわかりやすい文章に訳すためには、母語での表現力も求められる。

(8) 大学のプールは午前9時から午後8時まで使えます。【 したがって ・ それに ・ ただし 】、土曜日と日曜日は午後5時までです。

(9) この大学は海外に留学する学生が多い。【 また ・ そこで ・ 要するに 】、海外からの留学生も多い。

(10) 午後4時から午後8時まで、週3日アルバイトをしている。【 なお ・ つまり ・ それから 】、週12時間働いているということだ。

2. 文を完成させなさい。

(1) 今朝、早く起きた。それにもかかわらず、_____ 。

(2) _____ の授業を取って、_____ に興味を持った。そこで、

_____ ことにした。

(3) このアプリは便利で、_____ ことができる。

それに、_____ 。

さらに、_____ 。

(4) 朝早く起きるために目覚まし時計をセットして寝た。

ところが、_____ 。

(5) _____ 。

それで、_____ ことになった。

(6) この店は _____ 。

要するに、年中無休ということです。

(7) 日本の中学や高校はたいてい制服があるが、制服はないほうがいいのではないだろ

うか。まず、制服は値段が高く、お金がかかる。それに、制服では自分の個性があま

り表現できない。したがって、_____ 。

慣用句 Idioms
(かん よう く)

[p. 218]

1. _____ に入る A ～ C 共通の体の部位の言葉を ▯ から選び、( ) には助詞を入れなさい。同じ言葉は一度しか使えません。

> 頭　　手　　足　　顔

(1) A. _____ ( ) 届く ……… 自分の能力の範囲にあること

　　 B. _____ ( ) 抜く ……… 必要なことをしないで、適当にすること

　　 C. _____ ( ) 入れる ……… 自分の物にすること

(2) A. _____ ( ) 運ぶ ……… どこかへ行くこと

　　 B. _____ ( ) 重い ……… 出かけたくない、行きたくないこと

　　 C. _____ ( ) 出る ……… 予定以上のお金がかかること

(3) A. _____ ( ) 泥を塗る ……… 人の評価 (reputation) を傷つけること
　　　　　　　　　 (どろ)(ぬ)　　　　　　（ひょうか）　　　（きず）

　　 B. _____ ( ) 立てる ……… 人の評価を保つようにすること

　　 C. _____ ( ) 出す ……… 集まりに参加すること

(4) A. _____ ( ) 下がる ……… 感心すること

　　 B. _____ ( ) 切れる ……… 素早く問題が処理 (treat) できること
　　　　　　　　　　　　　　　（すばや）　　　（しょり）

　　 C. _____ ( ) くる ……… 冷静でいられないほど怒ること

2. _____ に入る最も適当な表現を □□□□ から選びなさい。必要なら形を変えなさい。同じ言葉は一度しか使えません。

(1) A： 掃除が終わって _____ たら、料理を手伝ってくれる？

　　 B： わかった。終わったら、すぐキッチンに行くね。

(2) A： 今度の京都旅行、1日目は清水寺に行くでしょ。2日目は何する？
　　　　　　　　　　　きよみずでら

　　 B： せっかくだから、ちょっと _____ て奈良に行かない？
　　　　　　　　　　　　　　　　　　　　　　　　　　　　　　　なら

(3) A： どうしたの？ ぼーっとして。

　　 B： 集中できなくて。昨日あまり寝なかったから、_____ んだ。

(4) A： 落とした財布、見つかった？
　　　　　　　　さいふ

　　 B： ううん。警察に行ったり、落としたところに電話したり、
　　　　　　けいさつ

　　　　 _____ たんだけど、見つからないんだ。

(5) 田中さんは _____ て、いろいろな学部の知り合いがいる。
　　たなか

(6) お客様を怒らせてしまったが、何度も _____ て、許してもらった。

(7) 小学生の時、夏休みの宿題が自分の _____ ほど多くて、
　　大変だった。

(8) 刺身は _____ ので、買ったらすぐに食べたほうがいい。
　　さしみ

手が空く	手を尽くす	手に負えない	手に渡る
頭を冷やす	頭が回らない	頭を下げる	足を伸ばす
足を引っ張る	足が早い	足が出る	顔を合わせる
顔に泥を塗る	顔が広い		

漢字チャレンジ⑬ ワーク
部首「さんずい（氵）」

ぶ　しゅ

[p. 226]

1. 「さんずい（氵）」の漢字を使って、単語とその読み方を書きなさい。

漢字	単語		漢字	単語	
例 海	海 うみ	海外 かいがい	③ 消		消費
① 法			④ 泊		宿泊
② 治		治る	⑤ 活		

2. _____に漢字を書きなさい。必要な時は送りがなも書きなさい。

(1) 特に白い服を着ている時は ＿＿＿＿＿＿＿＿ ように ＿＿＿＿＿＿ している。
　　　　　　　　　　　　　　　　よごさない　　　　　　　　　　ちゅうい

(2) ＿＿＿＿＿＿ が ＿＿＿＿＿＿＿ いるので、みんなリサイクルすべきだ。
　　　しげん　　　　　　へって

(3) 場所を ＿＿＿＿＿＿ 、お ＿＿＿＿ を買って、パーティーの ＿＿＿＿＿＿ をした。
　　　　　　きめて　　　　　　さけ　　　　　　　　　　　　じゅんび

(4) インターンをして、様々な人と ＿＿＿＿＿＿ できたし、知識も ＿＿＿＿＿＿＿＿ 。
　　　　　　　　　　　　　　こうりゅう　　　　　　　　　　　ふかまった

3. チャレンジ！ ①〜⑤の読み方を右に書きなさい。

(1) ①浅い 川を ②泳いで ③渡った。　　　① (　　　　　　　　)

　　　　　　　　　　　　　　　　　　② (　　　　　　　　)

　　　　　　　　　　　　　　　　　　③ (　　　　　　　　)

(2) 暑くて ④湿度 が高い日は、何度もシャワーを ⑤浴びたく なる。

　　　　　　　　　　　　　　　　　　④ (　　　　　　　　)

　　　　　　　　　　　　　　　　　　⑤ (　　　　　　　　)

漢字チャレンジ ⑭ ワーク
部首「てへん（扌）」
ぶ しゅ
[p. 227]

1. 「てへん（扌）」の漢字を使って、単語とその読み方を書きなさい。

漢字		単語	漢字		単語
① 押		押入れ	④ 接		
② 捨		取捨	⑤ 換		変換
③ 投			⑥ 持		持参

2. _____に漢字を書きなさい。必要な時は送りがなも書きなさい。

(1) _____ 料を _____ ためにアルバイトをしている。
　　　 じゅぎょう　　　　　　　 はらう

(2) 週末は、できるだけ _____ をするようにしている。
　　　　　　　　　　　　　 いきぬき

(3) 居酒屋は学校や会社の _____ でよく使われるそうだ。
　　　　　　　　　　　　　　 うちあげ

(4) 会社の _____ 試験で、_____ を聞かれた。
　　　　　 さいよう　　　　　　 とくぎ

3. チャレンジ！ ①〜⑤の読み方を右に書きなさい。

(1) スマートフォンを ①拾った。　　　　　　① (　　　　　　　　　　)

(2) 犯人を ②捕まえた 人に ③拍手 を送りたい。　② (　　　　　　　　　　)
　　 はんにん
　　　　　　　　　　　　　　　　　　　　③ (　　　　　　　　　　)

(3) 知らないと ④損 をする情報がたくさんある。　④ (　　　　　　　　　　)

(4) 字が小さかったので、⑤拡大 コピーをした。　⑤ (　　　　　　　　　　)

名前 _____

漢字チャレンジ ⑮ ワーク

音符 Phonetic indicators

おん ぶ

[p. 228]

1. _____ に漢字を書き、a と b に共通する音符を □ に書きなさい。

例 a. **中学生**
ちゅうがくせい
(junior high school student)

b. _____
だんせい
(male)

生 [せい]

(1) a. _____
こうりゅう
(interaction)

b. _____
こうこう
(high school)

[こう]

(2) a. _____
せんしゅう
(last week)

b. _____
しゅうい
(surroundings)

[しゅう]

(3) a. _____
がいはく
(stay out overnight)

b. _____
よはく
(margin)

[はく]

(4) a. _____
ごふん
(five minutes)

b. _____
ふんまつ
(powder)

[ふん]

(5) a. _____
ほうほう
(method)

b. _____
ほうもん
(visit)

[ほう]

2. チャレンジ！ （　　　）に読み方を書き、a と b に共通する音符を □ に書きなさい。また、その読み方を [　　] に書きなさい。

(1) a. **合宿**
（　　　）
(lodging together)

b. **縮小**
（　　　）

[　　]

(2) a. **古代**
（　　　）
(ancient times)

b. **ミシガン湖**
（　　　）

[　　]

(3) a. **許可**
（　　　）

b. **河口**
（　　　）
(estuary)

[　　]

(4) a. **真実**
（　　　）
(truth)

b. **慎重な**
（　　　）

[　　]

(5) a. **容器**
（　　　）

b. **溶接**
（　　　）

[　　]

091

知っている漢字から単語の意味を考える

[p. 229]

1. (1)〜(5) の漢字の後ろに ⬚⬚⬚⬚ の漢字を1つ付けて単語を作り、＿＿＿に書きなさい。また（　　）に読み方を書きなさい。同じ漢字は一度しか使えません。

> 信　労　徴　院　金
> 静　社　多　凍　技

(1) 送　＿＿＿＿送信＿＿＿＿　＿＿＿＿＿＿＿＿＿
　　　　（　　そうしん　　）（　　　　　　　　　）

(2) 特　＿＿＿＿＿＿＿＿＿　＿＿＿＿＿＿＿＿＿
　　　　（　　　　　　　　）（　　　　　　　　　）

(3) 過　＿＿＿＿＿＿＿＿＿　＿＿＿＿＿＿＿＿＿
　　　　（　　　　　　　　）（　　　　　　　　　）

(4) 退　＿＿＿＿＿＿＿＿＿　＿＿＿＿＿＿＿＿＿
　　　　（　　　　　　　　）（　　　　　　　　　）

(5) 冷　＿＿＿＿＿＿＿＿＿　＿＿＿＿＿＿＿＿＿
　　　　（　　　　　　　　）（　　　　　　　　　）

2. チャレンジ！ AとBの両方に入る漢字を ⬚⬚⬚⬚ から1つ選んで＿＿＿に書きなさい。また、（　　）に読み方を書きなさい。

> 温　運　採　普　確

(1) ┌ A. ＿＿＿度　（　　　　　　）　(2) ┌ A. ＿＿＿段　（　　　　　　）
　　└ B. ＿＿＿泉　（　　　　　　）　　　└ B. ＿＿＿及　（　　　　　　）

(3) ┌ A. ＿＿＿実　（　　　　　　）　(4) ┌ A. ＿＿＿行　（　　　　　　）
　　└ B. ＿＿＿認　（　　　　　　）　　　└ B. ＿＿＿輸　（　　　　　　）

(5) ┌ A. ＿＿＿用　（　　　　　　）
　　└ B. ＿＿＿血　（　　　　　　）

名前 _____

部首「いとへん（糸）」

[p. 230]

1. 「いとへん（糸）」の漢字を使って、単語とその読み方を書きなさい。

漢字	単語		漢字	単語	
① 約			④ 結		
② 緒		内緒	⑤ 練		訓練
③ 経			⑥ 続		持続

2. _____ に漢字を書きなさい。必要な時は送りがなも書きなさい。

(1) _____ があって _____ なレストランは _____ をしたほうがいい。
　　　でんとう　　　　　　こうきゅう　　　　　　　　　　　　よやく

(2) スミスさんは自己 _____ が _____ ら、すぐに仕事の話を始めた。
　　　　　　　　　しょうかい　　　　おわった

(3) 彼の _____ は、_____ が _____ 美しい。
　　　え　　　　せん　　　ほそくて

(4) 今学期は _____ いい _____ が取りたい。
　　　　　　ぜったい　　　　せいせき

3. チャレンジ！ ①〜⑤ の読み方を右に書きなさい。

(1) もらった ①給料 で、②緑 の ③綿 の Tシャツを買った。

①（　　　　　　　）
②（　　　　　　　）
③（　　　　　　　）

(2) 試験で ④単純 なミスをしてしまった。　④（　　　　　　　）

(3) このズボンは ⑤緩い ので、ベルトが必要だ。　⑤（　　　　　　　）

部首「りっしんべん（忄）」

[p. 231]

1. 「りっしんべん（忄）」の漢字を使って、単語とその読み方を書きなさい。

漢字	単語		漢字	単語	
① 慣			④ 忙		
② 性			⑤ 怖		
③ 情			⑥ 慎		慎む

2. ＿＿＿に漢字を書きなさい。必要な時は送りがなも書きなさい。

(1) 彼女は ＿＿＿＿＿＿＿ で ＿＿＿＿＿＿＿ を失った。
きょうふ　　　　ひょうじょう

(2) このアンケート用紙には、年齢と ＿＿＿＿＿＿＿ をお書きください。
せいべつ

(3) 毎日 ＿＿＿＿＿＿＿＿ 新しい生活になかなか ＿＿＿＿＿＿＿＿ 。
いそがしくて　　　　　　　　　　　　　　なれない

3. チャレンジ！ ①〜⑤の読み方を右に書きなさい。

(1) 高校時代の友達に会って、①懐かしかった。 ① （　　　　　　　　）

(2) ②快適 な温度になるまで ③我慢 してください。

　　　　　　　　　　　　　　　　　② （　　　　　　　　）

　　　　　　　　　　　　　　　　　③ （　　　　　　　　）

(3) ④惜しい ことをしたと ⑤後悔 したことがありますか。

　　　　　　　　　　　　　　　　　④ （　　　　　　　　）

　　　　　　　　　　　　　　　　　⑤ （　　　　　　　　）

漢字チャレンジ ⑲ ワーク

漢字とコンテクストから意味を考える（1）

[p. 232]

1. ＿＿＿＿に漢字を書きなさい。必要な時は送りがなも書きなさい。

(1) ＿＿＿＿＿＿＿＿＿＿
しょくどう

(2) ＿＿＿＿＿＿＿＿＿＿
ちかてつえき

(3) タクシー＿＿＿＿＿＿
のりば

(4) ＿＿＿＿＿＿＿＿＿＿
おてあらい

(5) ＿＿＿＿＿＿＿＿ ATM
ぎんこう

(6) ＿＿＿＿＿＿＿＿＿＿
みずのみば

(7) ＿＿＿＿＿＿＿＿＿＿
じどうはんばいき

(8) ＿＿＿＿＿＿＿＿＿＿
そうごうあんない

(9) ＿＿＿＿＿＿＿＿＿＿
きっさてん

(10) ＿＿＿＿＿＿＿＿＿＿
ばいてん

2. チャレンジ！ 漢字の読み方を書きなさい。

(1) 救護所
（　　　　　　）

(2) 駐輪場
（　　　　　　）

(3) 喫煙所
（　　　　　　）

(4) 店舗
（　　　　　　）

漢字とコンテクストから意味を考える（2）　　　　　　　[p. 233]

1. アルバイトの広告 (ad) を読んで、問いに答えなさい。
   こうこく

   (1)　どんな仕事をしますか。

   (2)　外国人は申し込めますか。

   (3)　経験が必要ですか。

   (4)　どれぐらいの英語力が必要
       ですか。

   (5)　どうやって申し込みますか。

   (6)　面接で何をしますか。

とても働きやすい職場です。
ABC English School
急募
英会話
アルバイト講師募集

仕事 0 ～ 10 歳までの子ども達に英語の楽しさを伝えるお仕事
子ども達が英語の歌やゲームの中で
「聞く／話す／読む／書く」を学ぶのをサポートします。

資格 **日常英会話力のある方（英検 2 級程度）**
※年齢国籍不問　未経験者歓迎
※教員免許保持者優遇

時間 ① 8:00 ～ 10:30　　**給与** **時給 2000 円**
② 13:30 ～ 16:00
※ご相談に応じます。

応募 電話後、履歴書（写貼）をご持参ください。
※英語面接あり（自己紹介・志望動機など 5 分程度）

まずはお気軽にお電話ください。　見学大歓迎！
ABC 語学スクール　お気軽にどうぞ！

[住所] 〒135-0061 東京都江東区 2-7-9-279
[URL] https://www.tsunagu-quartet.com
▶▶▶ **03-1234-4321**

2. **チャレンジ！** ①〜⑤の読み方を右に書きなさい。

   (1)　英会話の講師を ①募集 していた。　　　　① （　　　　　　　　　　）

   (2)　教員 ②免許 を持っている人は、③優遇 されるらしい。

                              ② （　　　　　　　　　　）

                              ③ （　　　　　　　　　　）

   (3)　面接に ④履歴書 を持参した。　　　　　④ （　　　　　　　　　　）

   (4)　社長に ⑤歓迎 された。　　　　　　　⑤ （　　　　　　　　　　）

部首「うかんむり（宀）」

[p. 234]

1. 「うかんむり（宀）」の漢字を使って、単語とその読み方を書きなさい。

漢字	単語	漢字	単語
① 室		④ 定	
② 実		⑤ 寝	就寝
③ 容		⑥ 守	

2. ＿＿＿に漢字を書きなさい。必要な時は送りがなも書きなさい。

（1）　登山 ＿＿＿ は ＿＿＿＿＿ ないように、ジャケットなどを持ってくる。
　　　　　　きゃく　　　　さむく

（2）　私の新しい ＿＿＿ が ＿＿＿＿＿ しました。ぜひ、遊びに来てください。
　　　　　　　　　いえ　　　　かんせい

（3）　＿＿＿＿＿ に ＿＿＿＿＿ のプリントを忘れてきてしまった。
　　　きょうしつ　　　　しゅくだい

（4）　あの人は海外経験が ＿＿＿＿＿ だ。
　　　　　　　　　　　　　ほうふ

3. チャレンジ！｜ ①〜⑤ の読み方を右に書きなさい。

（1）　たばこは体に ①有害 だ。　　　　　　　　　　① （　　　　　　　　　）

（2）　②宝くじ で得たお金を落として ③警察 に行った。

　　　　　　　　　　　　　　　　　　　　　　② （　　　　　　　　　）

　　　　　　　　　　　　　　　　　　　　　　③ （　　　　　　　　　）

（3）　④自宅 に ⑤宗教的 な物を置いていない。　④ （　　　　　　　　　）

　　　　　　　　　　　　　　　　　　　　　　⑤ （　　　　　　　　　）

部首「かいへん・かい（貝）」

[p. 235]

1. 「かいへん・かい（貝）」の漢字を使って、単語とその読み方を書きなさい。

漢字	単語		漢字	単語	
① 買			④ 貨		通貨
② 質		質疑	⑤ 負		
③ 賞			⑥ 費		経費

2. _____ に漢字を書きなさい。必要な時は送りがなも書きなさい。

(1) 仕事で失敗したので、_____ を取って会社を辞めた。
　　　　　　　　　　　　　　　せきにん

(2) 妹にお金を _____ 。
　　　　　　　　かした

(3) _____ が物を _____ ことで、経済は回っているが、
　　しょうひしゃ　　　　　　　かう

　　_____ は大切にしたい。
　　しげん

3. チャレンジ！ ①〜⑤の読み方を右に書きなさい。

(1) あの会社の ①賃金 は安い。　　　　　① (　　　　　　　　　)

(2) ②貧しかった が、できるだけ ③貯金 した。　② (　　　　　　　　　)

　　　　　　　　　　　　　　　　　　　　③ (　　　　　　　　　)

(3) 父は ④財産 を残してくれた。　　　　④ (　　　　　　　　　)

(4) 日本では、お世話になった人に ⑤贈り物 をする人が多い。

　　　　　　　　　　　　　　　　　　　⑤ (　　　　　　　　　)

部首のまとめ——漢字カルタ　　　　　　　　　　[p. 236]

1. 今まで勉強した部首を使って、単語とその読み方を書きなさい。

部首	単語		部首	単語
例 日	時 とき	晴れ	⑥ 氵	
① イ			⑦ 扌	
② 木			⑧ 糸	
③ 口			⑨ 忄	
④ 言			⑩ 貝	
⑤ ⻌			⑪ 宀	

2. **チャレンジ！** ①〜⑤の読み方を右に書きなさい。

(1) これは私が書いた ①唯一 の ②詩 だ。　　　　① (　　　　　　　　　)

　　　　　　　　　　　　　　　　　　　　　　② (　　　　　　　　　)

(2) この商品を ③購入 した時、お店の人に丁寧に ④扱う ように言われた。

　　　　　　　　　　　　　　　　　　　　　　③ (　　　　　　　　　)

　　　　　　　　　　　　　　　　　　　　　　④ (　　　　　　　　　)

(3) 家の ⑤柱 は太くて丈夫なほうがいい。　　　⑤ (　　　　　　　　　)
　　　　　　じょうぶ

その他の部首「土・イ・禾・ネ・阝」

[p. 237]

1. 「土」「イ」「禾」「ネ」「阝」の漢字を使って、単語とその読み方を書きなさい。

部首	単語		部首	単語	
① 土			④ ネ		
② イ			⑤ 阝		
③ 禾					

2. _____ に漢字を書きなさい。必要な時は送りがなも書きなさい。

(1) 雨が _____ 困っていたら、_____ に座っていた人がかさを貸してくれた。
　　　　　ふって　こま　　　　　　　となり

(2) _____ は _____ ので、_____ にしたほうがいい。
　　　ふくしゅう　やくにたつ　　　　せっきょくてき

(3) あの _____ は _____ になったので、
　　　　ばしょ　　　べんり

_____ する学生が _____ 。
　りょう　　　　　　　ふえた

3. チャレンジ！ ①～④ の読み方を右に書きなさい。

(1) ①移民 を受け入れるために、政府は ②法律 を変えた。

① (　　　　　　　　)

② (　　　　　　　　)

(2) 両親が卒業の ③お祝い に車を買ってくれた。　③ (　　　　　　　　)

(3) 友達なら、④隠さず 何でも話してほしい。　④ (　　　　　　　　)